安徒生童话全集

绘画本

上

湖北少年儿童出版社

自"五四"新文学运动以来,安徒生的童话便开始受到我国文艺界的格外重视。安徒生和过去的童话作家不同,他的童话不是一般民间故事和传说的转述,而是立足于现实的生活,在现实生活的基础上又充满对于人类美好未来所作的想象和愿望。这些作品以其异乎寻常的艺术魅力震撼了世界文坛,揭开了世界文学史上童话创作的新篇章。安徒生在他的作品中所表现出的那种特有的气质,他那天真朴素的激情和富于沉思的哲学脾性,与中国的文化传统不无相通之处。像许多中外古今优秀的文学作品一样,他的童话已经成为了我国人民精神食粮的一个组成部分。一批又一批读者在这些童话中发现了一个新天地、一个充满了幻想、诗情、温暖和人道的世界,从中受到了启发和教育。安徒生热爱生活,热情地歌颂劳动人民的优良品质:勤劳、勇敢、坚强的毅力、牺牲的精神、克服困难的决心等等。他的许多作品还洋溢着民主主义精神,歌颂社会进步,表彰那些对人类文明作出过贡献的人,倡导世界和平和人民之间的友谊……这些主题,对于今天正在建设社会主义、追求一个美好未来的中国人来说仍具有深刻的现实意义。

安徒生早期那些"讲给孩子们听的故事",想象丰富、故事生动、语言活泼、诗意浓厚,是他童话艺术的代表作,也是他在童话创作中现实主义和浪漫主义相结合的的典范。当他进入中年,随着对现实生活越来越深刻的认识和思考,他开始写一种"新的童话"。他减少了作品中的浪漫主义成份,而用比较直截了当的手法描写现实的生活。在他的晚年,幻想与现实的巨大反差使他陷入极度的苦恼,他无法解决,因而希望"上帝"真的能消除人间疾苦。其实，他心目中的"上帝"就是"爱"与"正义"的化身。但事实上他的这种"希望"在当时的现实生活中是不可能实现的，反而使他更感到苦恼。这就给他后半期的童话作品带来了一种感伤的气氛，这是时代给他造成的局限。

显然，安徒生童话所反映的生活和思想内容与他所处的时代以及他个人的特殊生活经历是分不开的。因此他的那些童话，虽然故事有趣，但其中丰富的想象、极度敏感、天真、沉思而又颇具哲学意味的诗情，不一定会为今天的小读者所真正理解和接受——当然成年人和老年人会从中得到深切的感受和启发。湖北少年儿童出版社别具匠心地出版这套《绘画本安徒生童话全集》，将其160多篇童话全部编绘成连环画，将作品中的故事情节、人物性格、童话意境等直观化、形象化地呈现在孩子们面前。这不能不说是一个创举。

无疑，在着手之前，编绘者们必须真正进入作品中那些人物的感情和生活之中、体会他们的喜怒哀乐；同时，又必须同这些人物和情节保持一定的距离，以便对他们的思想和行为作出恰当的审美的判断，从那些饱含着哲理和诗情的构思中挖掘出其超越了时空的永恒的闪光点，编绘者们为之所付出的巨大而艰苦的劳动是可想而知的。

这套绘画本的出版，有助于我们进一步探究和借鉴安徒生童话创作艺术，而且对读者全面领略安徒生童话艺术会起到别的艺术形式无法替代的作用。它将会引导一代又一代小读者随之步入一个优美的艺术殿堂。

叶君健

1992 年 10 月

目　　录

打火匣 ……………………………………………… 1

小克劳斯和大克劳斯 ………………………………… 19

豌豆上的公主 ………………………………………… 36

小意达的花儿 ………………………………………… 43

拇指姑娘 ……………………………………………… 57

顽皮孩子 ……………………………………………… 73

旅伴 …………………………………………………… 79

海的女儿 ……………………………………………… 96

皇帝的新装 …………………………………………… 114

幸运的套鞋 …………………………………………… 130

雏菊 …………………………………………………… 148

坚定的锡兵 …………………………………………… 156

野天鹅 ………………………………………………… 171

天国花园 ……………………………………………… 189

飞箱 …………………………………………………… 205

鹳鸟 …………………………………………………… 218

铜猪 …………………………………………………… 227

永恒的友情 …………………………………………… 241

荷马墓上的一朵玫瑰 ………………………………… 254

梦神 …………………………………………………… 259

玫瑰花精 ……………………………………………… 283

猪倌 …………………………………………………… 294

荞麦 …………………………………………………… 309

安琪儿……………………………………… 314

夜莺……………………………………… 321

恋人……………………………………… 333

丑小鸭……………………………………… 337

枞树……………………………………… 356

白雪皇后……………………………………… 364

接骨木树妈妈……………………………………… 389

补衣针……………………………………… 401

钟声……………………………………… 407

妖山……………………………………… 419

祖母……………………………………… 429

红鞋……………………………………… 433

跳高者……………………………………… 446

牧羊女和扫烟囱的人……………………………………… 452

丹麦人荷尔格……………………………………… 467

卖火柴的小女孩……………………………………… 475

城堡上的一幅画……………………………………… 491

瓦尔都窗前的一瞥……………………………………… 494

老路灯……………………………………… 497

邻居们……………………………………… 506

小杜克……………………………………… 519

影子……………………………………… 527

老房子……………………………………… 539

一滴水……………………………………… 548

幸福的家庭……………………………………… 552

母亲的故事……………………………………… 559

衬衫领子……………………………………573

亚麻………………………………………581

凤凰………………………………………592

一个故事…………………………………597

一本不说话的书…………………………605

区别………………………………………611

老墓碑……………………………………620

世上最美的玫瑰花………………………626

一年的故事………………………………632

最后的一天………………………………642

完全是真的………………………………648

天鹅的巢…………………………………653

好心境……………………………………658

伤心事……………………………………664

各得其所…………………………………669

小鬼和小商人……………………………684

一千年之内………………………………694

柳树下的梦………………………………700

一个豆荚里的五粒豆……………………713

天上落下来的一片叶子…………………726

她是一个废物……………………………734

最后的珠子………………………………753

两个姑娘…………………………………760

在辽远的海极……………………………765

钱猪………………………………………771

依卜和小克丽斯汀………………………778

3

笨汉汉斯……………………………… 791

光荣的荆棘路……………………… 808

犹太女子…………………………… 820

瓶颈………………………………… 833

聪明人的宝石……………………… 846

没有画的画册……………………… 864

香肠栓熬的汤……………………… 893

单身汉的睡帽……………………… 908

一点成绩…………………………… 921

识字课本…………………………… 931

老栎树的梦………………………… 936

沼泽王的女儿……………………… 947

赛跑者……………………………… 966

钟渊………………………………… 972

恶毒的王子………………………… 981

一个贵族和他的女儿们…………… 989

踩着面包走的女孩………………… 1001

守塔人奥列………………………… 1014

安妮·莉斯贝……………………… 1024

孩子们的闲话……………………… 1036

一串珍珠…………………………… 1040

笔和墨水壶………………………… 1046

墓里的孩子………………………… 1050

两只公鸡…………………………… 1057

"美"……………………………… 1063

沙丘的故事………………………… 1075

4

演木偶戏的人 …………………………………………… 1095

两兄弟 …………………………………………………… 1108

古教堂的钟 ……………………………………………… 111?

乘邮车来的十二位旅客 ………………………………… 1130

甲虫 ……………………………………………………… 1147

老头子做事总不会错 …………………………………… 1157

雪人 ……………………………………………………… 1172

在养鸭场里 ……………………………………………… 1180

新世纪的女神 …………………………………………… 1188

冰姑娘 …………………………………………………… 1194

蝴蝶 ……………………………………………………… 1217

普赛克 …………………………………………………… 1222

蜗牛和玫瑰树 …………………………………………… 1235

鬼火进城了 ……………………………………………… 1240

风车 ……………………………………………………… 1255

一枚银毫 ………………………………………………… 1259

波尔格龙的主教 ………………………………………… 1265

在小宝宝的房间里 ……………………………………… 1275

金黄的宝贝 ……………………………………………… 1282

风暴把招牌换了 ………………………………………… 1292

茶壶 ……………………………………………………… 1297

民歌的鸟儿 ……………………………………………… 1301

小小的绿东西 …………………………………………… 1307

小鬼和太太 ……………………………………………… 1313

贝脱、比脱和比尔 ……………………………………… 1321

藏着并不等于遗忘 ……………………………………… 1330

看门人的儿子 …………………………………… 1340

迁居的日子 ……………………………………… 1355

夏日痴 …………………………………………… 1362

姑妈 ……………………………………………… 1372

癫蛤蟆 …………………………………………… 1381

干爸爸的画册 …………………………………… 1392

烂布片 …………………………………………… 1417

两个海岛 ………………………………………… 1422

谁是最幸运的 …………………………………… 1427

树精 ……………………………………………… 1434

家禽格丽德的一家 ……………………………… 1450

蓟的遭遇 ………………………………………… 1464

创造 ……………………………………………… 1470

幸运可能就在一根棒上 ………………………… 1475

彗星 ……………………………………………… 1483

一星期的日子 …………………………………… 1492

阳光的故事 ……………………………………… 1498

曾祖父 …………………………………………… 1506

烛 ………………………………………………… 1527

最难使人相信的事情 …………………………… 1538

全家人讲的话 …………………………………… 1550

舞吧，我的玩偶 ………………………………… 1556

胡萝卜的婚礼 …………………………………… 1562

海蟒 ……………………………………………… 1569

跳蚤和教授 ……………………………………… 1578

老约翰妮讲的故事 ……………………………… 1595

开门的钥匙 …………………………………… 1614

跛子 ………………………………………… 1624

牙痛姑妈 …………………………………… 1638

老上帝还没有灭亡 ………………………… 1646

神方 ………………………………………… 1652

寓言说这就是你呀 ………………………… 1658

哇哇报 ……………………………………… 1662

书法家 ……………………………………… 1667

纸牌 ………………………………………… 1671

穷女人和她的小金丝鸟 …………………… 1679

乌兰纽斯 …………………………………… 1684

园丁和主人 ………………………………… 1690

幸运的贝儿 ………………………………… 1704

打火匣

吴向民 改编
邵学海 绘画

1. 战争结束了，一个士兵要回家，他腰间挂着长剑，背上背着行军袋。一个丑巫婆走来问他：“晚安，士兵！你想得到很多钱吗？”

2. 士兵点点头。巫婆说："你带着我这条围裙钻进树洞里去吧，那里有很多钱。不过，你得把我的打火匣找来！"

3. 勇敢的士兵钻进树洞，哈！里面是一个豪华的大厅，厅中央的箱子上坐着一条大狗。士兵把狗抱到巫婆的围裙上，狗很听话的站在那里。

4. 士兵掀开箱子一看，他惊得目瞪口呆。天哪！箱子里装满了亮闪闪的金币！士兵把衣袋、行军包、帽子、皮靴里全都塞满了金币，手上还攥着一大把。

5. 士兵在箱子底找到了打火匣，便把箱子盖好，把狗抱到箱子上，爬出了树洞。巫婆走上前说："你有了这么多钱，快把打火匣给我吧！"

6. 士兵说："你要这打火匣有什么用？一定是个宝贝！"巫婆恶狠狠地说："你别管，快给我！你已经得到了钱，难道还不满足吗？"

7. 巫婆上前去抢打火匣，士兵举起长剑，一剑就把她砍死了。发了财的士兵高高兴兴地来到京城，住进了最好的旅馆，买了一套像绅士一样的衣服。

8. 士兵很慷慨，他把钱送给穷人，穷人们都把他当好朋友。大家
告诉他一些城里的事情，还告诉他公主是一位漂亮的姑娘。

9. 一天，士兵问一个穷人："明天，我想去见见公主，你看可能
吗？"穷人回答说："很困难啊！因为曾经有人预言公主将嫁给一
个士兵，所以国王对她住的地方防范很严。"

10. 很快，士兵的钱就花完了，他不得不搬出旅馆，住进一间小阁楼里，他那漂亮的皮鞋破了个大口子，他不得不自己用针缝补了。他的一些朋友借口阁楼太难上，也不来看望他了。

11. 天黑了，他记起那个打火匣里有一段蜡烛头，他打开打火匣，轻轻在火石上敲了一下。火星一闪，房门自动打开了，他看见树洞里的那条大狗来到他面前："主人，您有什么吩咐！"

12. "哦！这真是一件宝贝！"士兵惊喜地说，"给我弄几个钱来吧！"
话刚说完，狗突然从他面前消失了！

13. 一眨眼工夫，狗衔着一袋金币来到他的面前，士兵差点喜疯
了。他抚摸着打火匣高兴地自言自语："啊，真是一个好宝贝呀！"

14. 士兵有了钱，他又住进了旅馆，买来了漂亮的衣服和皮鞋，他所有的朋友又都认得他了，甚至比以前还要亲热哩。

15. 一天夜里，士兵又拿出打火匣，唤来了那条听话的狗。"我现在很想看一看那位漂亮的公主，你可以帮助我吗？"士兵问。

16. 狗摇摇尾巴走出去了，不一会儿，它便背着熟睡的公主走了回来。啊，她真是一位漂亮的公主，士兵看着，心不由得怦怦地跳起来。

17. 士兵抱起公主，看着她美丽的睡容，忍不住吻了她一下。这时，狗又背着公主走了出去，这一切，睡梦中的公主丝毫也没有觉察。

18. 第二天，公主对国王说她昨晚做了个梦，梦见自己骑在一条狗身上，接受了一士兵的吻。国王笑着说："哈，这倒是一个挺好玩的故事呢！"

19. 王后很相信梦，于是，她派一名老宫女守候在公主床边，看究竟是怎么回事。从天黑开始，老宫女便站在公主床前，连眼皮也不敢眨一下。

20. 夜里，士兵又要狗去背公主，老宫女发现了，立刻紧跟着狗
    追赶。当她看见狗背着公主跑进一幢大房子时，她灵机一动，拿
    出粉笔，在房门上画了一个十字。

21. 当狗把公主送回王宫去时，发现了士兵门上的十字，聪明的
    狗找了支粉笔，把城内所有的门上都画了十字。

22. 早晨，老宫女带领国王、王后来找公主去过的地方，但他们发现所有的门上都有十字。找了半天，也无法确定究竟哪扇门是公主进去过的。

23. "见鬼！"国王气得胡子直翘。王后安慰他说："陛下，我有个好主意！你就等着听消息吧！"说完，她命令宫女找来她的金剪刀和一块绸子。

24. 夜里，王后缝了个小绸布口袋，袋里装满了荞麦粉，她把布袋拴在公主身上，又在袋子上剪了一个小洞。当然，这一切都是在公主睡熟了以后进行的。

25. 狗又来了，它背起公主就走，一直把她背到士兵的屋里。它完全没有注意到，在它走过的路上，荞麦粉撒成了一条白线，一直撒到士兵的窗户上。

26. 士兵现在已经深深地爱上了公主,他想自己成为一个王子,能同公主结婚该是多么好啊!但他怕吓着公主,一直不忍心叫醒她。

27. 第二天清晨,国王带领卫兵顺着荞麦粉指引的方向,把士兵抓起来,关进了监牢里。监牢又黑暗又阏人,人们对他说:"明天你就要上绞刑架了!"

28. 国王发布命令，在广场上搭起绞架，要把士兵绞死。被士兵帮助过的穷人都来看望他，士兵对一个鞋匠说："请到我住的地方，把我的打火匣取来！"

29. 鞋匠飞奔着去取打火匣，他跑得那样快，弄得一双拖鞋也飞上了天。士兵得到打火匣，高兴地对穷人们说："大家别担心，我没有危险了！"

30. 广场上，一个高大的绞刑架已经竖起来了，它的周围站着许多士兵和成千上万的老百姓，国王坐在一个华丽的王座上问士兵："死到临头，你还有什么要求吗？"

31. "在死之前，我除了想看一眼心爱的公主，还想抽一口烟。"士兵说。国王咆哮起来："公主是可以随便看的吗？至于抽烟嘛……还可以考虑！"

32. 卫兵给士兵松了绑，士兵取出打火匣轻轻敲了一下，一条大
狗立刻出现在刑场上。士兵对大狗说："亲爱的朋友，请帮助我，
不要叫我被绞死吧！"

33. 大狗狂吠着乱扑乱咬，刽子手被咬断了脖子，卫兵被咬掉了
鼻子。国王吓得大喊大叫："不准这样对待我！"不过大狗根本不
怕他，咬着他的腿把他抛上天空，跌下来摔死了。

34. 穷人们高兴地欢呼："咬得好呀！我们要好心肠的士兵当国王！"
公主从王宫里走出来，她笑盈盈地扑进了士兵的怀抱。

35. 士兵当上了国王，在"万岁"的欢呼声中，他和公主举行了
婚礼。婚礼足足举办了八天，老百姓像过节日一样热闹，那只大
狗坐在椅子上，被人们抬着游行。

小克劳斯和大克劳斯

吴向民　改编

李　萌　绘画

1. 从前，有两个都叫克劳斯的人住在一个村子里，小克劳斯是个聪明的年轻人，大克劳斯是个吝啬鬼，他们两个是邻居。

2. 小克劳斯只有一匹马，大克劳斯却有四匹马。因此，小克劳斯在犁地时总要找大克劳斯借马。不过，小克劳斯一星期要为大克劳斯干六天活，而大克劳斯只需要干一天活就行了。

3. 每当小克劳斯赶着五匹马拉的犁犁地时，他总是快活地吆喝着："我的五匹大马哟！使劲呀！"同时，他把鞭子甩得劈啪响，十分得意。

4. 大克劳斯听到小克劳斯的喊声，很生气，说："喂，小克劳斯，你怎么乱喊！你明明只有一匹马，怎么说你有五匹马！"说完，抢起拴马桩把小克劳斯的马打死了。

5. "唉！我现在连一匹马也没有了！"小克劳斯哭着，他剥下马皮，装进一个袋子里，背在背上，到城里去卖。

6. 小克劳斯在森林里迷了路，直到天黑，才走进一个村庄。他向一位农妇借宿，农妇说："我丈夫不在家，我不能让你住在我屋里！"没办法，小克劳斯只好睡在院子的草堆上。

7. 刚躺下不久，小克劳斯闻到一股酒菜的香味，他透过百叶窗看去，只见农妇正陪一个牧师喝酒。桌上摆着酒、烤肉和一条香喷喷的红烧鱼。

8. 这时，农妇的丈夫骑着马回来了。农妇听见敲门声，连忙请求牧师钻到墙角的一个大空箱子里，同时把酒菜藏进灶里。

9. 小克劳斯从草堆上下来同农夫打招呼。并请求他让自己在屋里过夜。农夫爽快地说："当然没问题，不过，我们还是先吃点东西吧，我实在是饿极了。"

10. 小克劳斯把装马皮的口袋放在桌子下面，女人在桌子上铺好
台布，盛了稀饭给他们吃。小克劳斯想起灶里藏的酒菜，忽然有
了主意。

11. 小克劳斯用脚踩了踩马皮，马皮发出叽叽嘎嘎的响声，农夫
问："朋友，你袋子里装的什么玩艺儿，怎么会发出响声？"

12. 小克劳斯说："里面有一个魔法师，他说我们不应该吃稀饭，他已经变出了一炉子烤肉、鱼和点心,正等着我们两个人享用哩!"

13. "好极了!"农夫说着，打开灶盖，里边果然有酒菜，他完全相信是魔法师变出来的，于是便同小克劳斯大吃大喝起来，两人吃得很开心。

14. 农夫问:"你能够变出魔鬼来让我看看吗?我很想开开眼界哩!"
小克劳斯说:"当然可以,不过这个魔鬼样子很丑,他长得同本地
的牧师倒很相像呀!"

15. 小克劳斯指了指墙角的箱子说:"魔法师说,魔鬼就在那里边
躲着呢!"农夫打开箱子,牧师从里边站起来。啊,真的魔鬼同牧
师长得一模一样!

16. 农夫送给小克劳斯一斗钱，说："请你把这魔鬼送得远远的，我可不喜欢他再进我的家！"农夫请求小克劳斯把魔法师带走，小克劳斯答应了。

17. 小克劳斯把装着钱和"魔鬼"的箱子装上马车，告别了农夫，奔驰在山坡上。牧师在箱子里求饶："先生，放了我吧，我也送你一斗钱。"

18. 牧师爬出箱子，把小克劳斯带到自己家里，又送给了他一斗钱。小克劳斯赶着装有两斗钱的马车，高高兴兴地回到家里。

19. 大克劳斯听说小克劳斯发了财，连忙来看他，小克劳斯得意地说："这些钱都是我用一张马皮换来的，感谢你打死了我那匹马，才使我发了大财！"

20. 大克劳斯急忙跑回家去，拿起一把斧头，砰！砰！砰！砰！把他的四匹马都砍死了。他剥下马皮，背到城里去卖，边走边喊："卖马皮哟！谁要马皮？"

21. 大克劳斯嗓子都喊破了，也没有人理会他。最后被人打了一顿，一瘸一拐地回到家里，他认为是小克劳斯故意捉弄他，便提着斧子去找小克劳斯算帐。

22. 小克劳斯的祖母死了，他把祖母放在自己床上，自己坐在墙
角里为她守灵。这时，大克劳斯怒气冲冲地闯进来，一斧头砍在
祖母的尸体上。

23. 第二天，小克劳斯套上马车，准备把祖母的尸体送到墓地去。
当经过一家旅店时，小克劳斯去吃东西。店老板扔出一个杯子，正
砸在祖母尸体上。

24. 店老板出来一看，见祖母已经断了气，他以为是自己闯了祸，连忙对小克劳斯说："我无意中砸死了你的祖母，你千万别告发我，我情愿赔一斗钱给你！"

25. 小克劳斯埋葬了祖母，拉着一斗钱回到村里。大克劳斯问他钱是哪儿来的，小克劳斯说："你砍死了我的祖母，我用她换了一斗钱回了。"

26. 大克劳斯听了，心里痒痒的："啊，一个死人换一斗钱，真合算！"他跑回家去，用斧子把自己的祖母砍死了，也把尸体用马车拉到城里去卖。

27. 大克劳斯在一位药剂师门前停下马车，问："你要死人吗？"药剂师惊得目瞪口呆，半天才说："你这个疯子，杀了人又拉到城里来卖，我报告法官，让你掉脑袋！"

28. 大克劳斯差点儿被判杀人罪,气急败坏地来找小克劳斯:"我再也不受你的捉弄了,我要把你扔进河里,淹死你这个狡猾的坏蛋!"

29. 大克劳斯把小克劳斯塞进口袋里,背着往河边走去。他经过一个教堂门口,便放下口袋进去找水喝。心想:你再狡猾,也逃不出口袋去。

30. 小克劳斯在口袋里又喊又叫:"快救救我吧,我这么年轻,还不到进天国的年龄呀!"一个牧牛人赶着牛群经过,他打开口袋放出了小克劳斯。

31. 牧牛人看上了装小克劳斯的口袋,说:"这条口袋真漂亮,我想用八头牛换你的口袋,你看怎么样?"小克劳斯忍着笑,装出一本正经的样子说:"好吧,那就成全你吧!"

32. 大克劳斯从教堂里出来，见小克劳斯正赶着一群牛往回走，连忙上前问："见鬼！你是怎么出来的？哪儿来的一群牛？"小克劳斯不慌不忙地说："是河神送给我的一群牛呀！"

33. 大克劳斯又问："我去河神那里，他也会给我牛吗？"小克劳斯说："那当然，说不定给的比我还多呢！"大克劳斯信以为真，扑通一声跳进河里，再也没有出来。

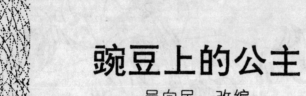

豌豆上的公主

吴向民　改编

徐谷安　绘画

1.从前,有一位王子,他长得很漂亮。他想找一位公主结婚。他走
遍世界,见到过不少公主,可他总不能最后做出决定,因为怎么才
能断定哪位公主是真的呢?

2. 王子回到王宫，心里很不快活。一天晚上，忽然起了一阵可怕的暴风雨，电闪雷鸣，恐怖极了。

3. 这时，有人在敲城门，老国王带领卫兵把城门打开了。站在城门外的是一位公主。可是，天哪，她浑身衣裙透湿，雨水顺着头发往下流，样子很可怜。

4.“姑娘,这么恶劣的天气,你来干什么?”老国王问。公主回答说:
“陛下,我是一个真正的公主,我一定会使王子满意的!”

5. 公主被带进王宫,王后对老国王说:“她说自己是真正的公主,
我们怎么能轻易地相信呢,就让我来考察她一下吧!”

6. 王后走进卧室,把床上所有的被褥都搬开,在床榻上放了一粒豌豆。于是,她取出 20 床垫子,把它们压在豌豆上面。

7. 随后,王后又抱来 20 床鸭绒被,铺在垫子上面。铺完后,王后用手按了按,满意地说:"看来,世界上没有比这更柔软的床了。"

8.当晚,公主被安排在这张柔软的床上睡下了。第二天早晨,王后来到公主床前,问:"怎么样,昨晚睡得好吗?"

9."啊,不舒服极了!"公主说,"我差不多一整夜没有合眼!天晓得我床上有件什么硬东西!"

10. 公主卷起衣袖说:"有一粒很硬的东西硌着我,真是太可怕了!看,弄得我身上青一块紫一块!我这嫩皮肤怎么受得了!"

11. 王后惊呆了!毫无疑问,她是一位真正的公主,因为压在20床垫子和20床鸭绒被下面的一粒豌豆,她居然能够感觉得出来。除了真正的公主,谁还有这么细嫩的皮肤呢!

12. 王子听说找到了真正的公主,非常高兴,他们立刻举行了隆重的婚礼。王宫里的歌舞三天三夜没有停息。

13. 后来,那粒豌豆被送进了博物馆,如果没有人把它拿走或是小老鼠把它偷走,人们现在还可以在那儿看到它呢!

请注意,这是一个真实的故事。

小意达的花儿

吴向民 改编

崔岩 宋乔 绘画

1.小意达是个聪明的小姑娘,她最好的朋友是一个会剪纸的学生。
他会剪一些很有趣的图案:小姑娘跳舞的图案、花朵的图案,还
有会自动开门的宫殿的图案。

2. 清晨,小意达指着窗前的花儿问:"你看,它们为什么显得这么没有精神呢,昨天晚上它们还是那么美丽,可现在它们的叶子都垂下来了,枯萎了!"

3. 学生告诉小意达:"这些花儿昨天夜里去参加了一个跳舞晚会,所以今天才垂下头来,显出疲惫的样子!"小意达问:"怎么,花儿也会跳舞吗?"

4. 一位官员很不喜欢那个学生,他特别讨厌那些在他看来乱七八糟的剪纸。因此,他吼道:"小意达,别听他胡说!花儿哪能跳舞!"

5. 学生走了以后,小意达拿来小喷壶给花儿浇水,同时对布娃娃苏菲亚说:"你看,可怜的花儿都病了,你照顾它们睡一会儿吧!"

6. 苏菲亚不高兴地噘起了小嘴，因为她不喜欢别人睡她的床。可小意达已经说了，她没办法，只好把几朵枯萎的花儿放进玩具箱里。

7. 上床以后，小意达总睡不着，老想着学生说的话。后来，她睡着了，梦见风信子、罂粟花、夜来香……朝窗外飞去，它们一定是去参加舞会的吧！

8. 小意达多么想亲眼看看花儿们的舞会呀!远处响起悠扬的琴声,她忍不住走出卧室,向靠近花园的一个房间走去。还没走到那个房间,她又听到自己卧室里响起了音乐,连忙往回走。

9. 轻纱似的月光洒在地板上,各种各样的花儿都集中到地板上来了。它们有的舒展着花瓣儿,有的摇晃着枝叶,团团地舞了起来。

10. 这时，一朵蓝色的早春花走到玩具箱边，轻轻地叫醒那些生病的花儿："哎，快来呀，快来跳舞吧！你们听，多么美妙的音乐呀！"

11. 这些花儿顿时来了精神，它们纷纷跳出玩具箱，请出箱子里的所有玩具，在地板上跳起了华尔兹。它们在光滑的地板上一会儿旋转，一会儿穿花儿。

12. 这时，一个小蜡人从玩具箱里慢慢爬了出来，他噘着两撇儿
小胡子，红鼻头上泛着亮光，样子很像训斥学生的老官员。

13. 老官员慢慢走到花儿中间，拉长了脸说："咳！咳！你们这还
成什么体统！男女之间搂搂抱抱的真不像样……咳！咳！"

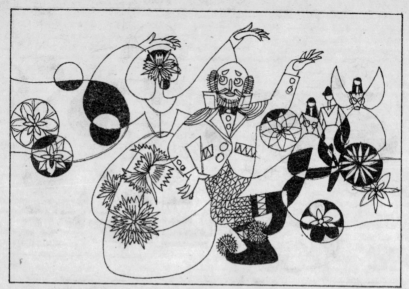

14. 老官员话还没说完，他的瘦腿被一根桦木条绊了一下，他也不得不跳起舞来。老官员不相信这一切是真的，但他又不得不跟着跳，弄得十分狼狈。

15. 这时，布娃娃苏菲亚也从玩具箱里钻了出来，她快步走进舞场，说："啊，多么热闹的舞会呀，为什么不早一点告诉我呢！"

16. 玩具扫烟囱的人来到苏菲亚面前，很有礼貌地说："小姐，我请你跳舞好吗？"苏菲亚背对着他说："哼，我才不跟你跳呢，你身上太多烟灰了。"

17. 扫烟囱的人并不介意，他微笑着走到舞场中间，独自跳起了玛祖卡舞。瞧，他一会儿弯下身子，一会儿摆动腰肢，跳得真不错呢！

18. 花儿们看见苏菲亚骄傲的神情，都很生气。苏菲亚请它们跳舞，它们也学着她的样子不理她。苏菲亚气得哭着倒在地上。

19. 花儿们连忙围了上来，问："苏菲亚，你怎么啦？哪里不舒服吗？"扫烟囱的人弯下腰，把苏菲亚抱到月光最亮的地方说："怎么样，现在好些了吗？"

20. 苏菲亚被感动了，她一下抱住扫烟囱的人说："对不起，我不应当拒绝你的邀请，现在我们跳舞吧！"苏菲亚和扫烟囱的人被花儿包围了，大家跳得更欢了。

21. 这时，客厅的门开了，顶着金皇冠的花王手挽花王后走了进来，他们身边簇拥着一群紫罗兰花。舞场里爆发出一片欢呼声，乐队高奏欢迎的乐曲。

22. 门外响起了更轻快的音乐，原来又一个花儿组成的乐队来了。蓝色的堇菜花吹着喇叭，粉红的樱草花弹着竖琴，雏菊花、铃兰花摇着铃铛……

23. 欢乐的舞会进入了高潮，花儿们欢快地跳着、笑着、唱着、亲吻着，玩具们有的演奏着乐器，有的打着呼哨，整个舞场像是欢乐的海洋。

24. 月亮悄悄躲到树林后边去了，房间里也变得暗淡起来。舞会结束了，花儿们和玩具们道着晚安，依依不舍地告别。

25. 第二天早上，当太阳的光芒把小意达的眼睛拨开时，小意达迫不及待地跳下床，打开玩具箱，她发现花儿比昨天更憔悴了。

26. 小意达小心翼翼地把这些花儿捧出来，装进一个绘了花的纸盒里。玩具箱里的玩具们自动地低着头，默默地向花儿们告别。

27. 小意达来到花园里，用小铲子挖了个小土坑，把花纸盒连同自己的美好祝愿埋了进去。她小声说："这些美丽的花儿不会死，明年春天，它们一定会开得更美。"

拇 指 姑 娘

吴向民　改编
陈昌和　绘画

1. 从前，有一位妇人，她非常希望有一个丁点小的孩子。但她不知道从什么地方可以得到。于是，她便去请教一个巫婆："你能告诉我什么地方可以得到个小小的孩子吗？"

2. "嗨！这很容易！"巫婆说，"你把这粒大麦拿去吧！把它埋在花盆里，不久就可以实现自己的愿望了！""谢谢您！"妇人告别巫婆，便种下了那粒大麦。

3. 没几天，一朵很美丽的大红花便长出来了。它很像一朵郁金香，但它的叶子紧紧地包在一起，像一个大花苞，妇人摘下花苞，放在嘴唇上亲吻着，说："这朵花儿真美！"

4. 突然，"啪"地一声，花苞开放了！在花蕊的正中央，坐着一位娇小的姑娘，她又白又嫩又漂亮，可爱极了。

5. 小姑娘只有大拇指的一半长，因此，人们都叫她拇指姑娘。妇人用一个光得放亮的核桃壳给她当摇篮，垫子是蓝色紫罗兰的花瓣，被子是红色的玫瑰花瓣。

6. 妇人把一只盘子放在桌子上，盘子的水面上漂着一片郁金香的花瓣。拇指姑娘坐在花瓣上，用两根白马尾当桨，边唱歌儿边划船，从盘子这一边划到另一边。

7. 一天夜里，拇指姑娘正在她漂亮的小床上睡觉，一只老癞蛤蟆从窗子里跳进来。"嘿嘿，这姑娘真漂亮，给我儿子做媳妇倒挺合适！"老癞蛤蟆说。

8. 于是，老癞蛤蟆背起拇指姑娘正睡着的那个胡桃壳，跳出窗子，
一直跳到花园里。小癞蛤蟆看见母亲给自己找的媳妇，高兴得
"咯咯！喝！喝"地叫。

9. "讲话小声点儿！别把她吵醒了！"老癞蛤蟆说，"我们先要准
备好新房！"母子俩把熟睡着的拇指姑娘放在一片睡莲的大叶子
上，便忙着整理新房去了。

10. 天亮了，拇指姑娘醒来。当她发现自己漂在水当中时，不禁伤心地哭了起来。因为睡莲叶子四周全是水，她没有办法回到陆地上去了。

11. 老癞蛤蟆带着小癞蛤蟆来了，她说："别哭了，这是我的儿子，他虽然丑点，可他的歌唱得倒很好听哩！"小癞蛤蟆连忙唱着："咯咯！喁！喁！"

12. 拇指姑娘不喜欢这么丑的小癞蛤蟆做自己的丈夫，不禁大哭起来："我不愿意嫁给他！不，我不干，死也不干！呜！呜！"

13. 拇指姑娘的话被水里的小鱼儿听见了，鱼儿们很抱不平："哼，这么漂亮的一个姑娘怎么能嫁给小癞蛤蟆呢！""是呀，那老癞蛤蟆真缺德！我们得想办法阻止她！"

14. 鱼儿们咬断莲叶梗，把睡莲叶推到老癞蛤蟆找不到的地方去了。睡莲叶子顺着水流飘呀飘，一直飘到了外国。

15. 一只金龟子发现了拇指姑娘，他用爪子抓起她的腰，带她飞到一棵大树上。拇指姑娘吓昏了，躺在树叶上，好半天才清醒过来。

16. 不久，住在树上的金龟子小姐们都来看望拇指姑娘了，她们
拿出花里的蜜糖给她吃。一个金龟子小姐说："哼，她的腰太细了，
完全像人一样丑！""是的，她太丑了！"其余的金龟子小姐附和说。

17. 金龟子小姐把拇指姑娘放在一朵雏菊上，再也不理会她了。可
怜的拇指姑娘只得在森林里流浪，饿了吃一点花蜜，渴了喝几口
露水。

18. 冬天到了，拇指姑娘又冷又饿，她冻得发抖，只得把自己裹在一片干枯的树叶里。她实在饿得忍受不住，这才走进一只田鼠的洞里，想要点吃的东西。

19. 老田鼠摇摇胡子说："你真是个可怜的小人儿，到我温暖的房子里来吧！和我一起吃点东西。不过，你每天得给我打扫房间，还得给我讲故事！"

20. 拇指姑娘给老田鼠干活、讲故事，日子过得很快乐。不久，老
田鼠的客人来了，他是一只穿着黑袍子的鼹鼠。

21. 拇指姑娘给鼹鼠做了丰盛的午餐，又给他唱了："金龟子呀，
快飞走吧！"她的声音是那么动听，鼹鼠不禁爱上她了。不过他没
有表示出来，因为他是个既有钱又有学问的绅士。

22. 老田鼠看出了鼹鼠的心事，说："往后你经常来吧，慢慢的她就会喜欢你的！"于是，鼹鼠就在地下打了一个洞，把两家连接起来了。

23. 拇指姑娘被邀请到鼹鼠家做客，她发现一只小燕子死在鼠洞里了。她见小燕子美丽的翅膀紧贴着身体，很可怜他："唉，他不能飞，也不会叫，真惨！"

24. 夜里，拇指姑娘想起那只可怜的小燕子，怎么也睡不着。她悄悄来到小燕子身边，把找到的一些棉花裹在小燕子身边，希望他能得到一些温暖。

25. 过了一会儿，小燕子轻轻动了一下，啊，原来他是被冻僵了！于是，拇指姑娘毫不迟疑地把身体俯在小燕子身上，用自己的体温温暖着他。小燕子果然恢复了知觉。

26. 从此，拇指姑娘每天夜里都来看小燕子，并带给他很多好吃的东西。小燕子感激地说："谢谢你，可爱的小姑娘，等春风一吹，我就可以在温暖的阳光里飞行了！"

27. 燕子在鼹鼠洞里住了一整个冬天，当春天到来时，燕子要向拇指姑娘告别了，他劝拇指姑娘同他一起逃走。在一个春暖花开的上午，燕子驮着拇指姑娘离开了田鼠洞。

28. 他们来到一个美丽而又温暖的国家，燕子把拇指姑娘放在一朵盛开的花儿里。这朵花的花蕊里坐着一位头戴王冠的花王子，他热情地欢迎拇指姑娘。

29. 花王子给拇指姑娘戴上王冠，插上透明的翅膀，说："我的天，你是多么漂亮啊！美丽的姑娘，你愿意做我的妻子，做花王后吗？"

30. 拇指姑娘红着脸答应了花王子的要求。这时，小燕子飞来说："拇指姑娘，你现在是花王后了，你的名字也应当改一改了，我看就叫'玛娅'好啦！"

31. 小燕子拍拍翅膀说："再见吧，祝你们永远幸福！"说完，便唱着歌儿飞走了。这时，从无数花朵中飞出了一群花仙子，她们围着花王子、花王后高兴地跳啊、唱啊！

顽 皮 孩 子

吴向民　改编

徐谷安

徐冰之　绘画

1. 这场风暴多么可怕啊！雨下得那么大！但房间的火炉旁却是温暖的，一位老诗人正坐在炉边，烤着苹果。

2."请开开门吧,我冷极了!"老诗人听到门外一个小家伙的声音。
"这可怜的孩子!"好心的老诗人马上去给他开了门。

3.站在门口的是一个小小的孩子。他没有穿衣服,雨水从他长长
的金发上流下来,孩子冻得瑟瑟发抖。

4."你这个可怜的小家伙,"老诗人把他抱进屋子来说,"我可以给你一些热苹果吃,因为你实在是个美丽的孩子!"

5.这孩子也的确十分美丽,他的眼睛闪闪发亮,好像星星一般。他手里还拿着一把弓,弓看起来已经被雨淋坏了。

6. 老诗人把孩子的手放到自己手里暖着，又给他吃了几个苹果。他的两颊马上红润起来，他跳到地上，围着老诗人跳舞。

7. "你叫什么名字啊?"老诗人问。"我叫丘比特!"孩子举起弓给诗人看,"我就是用这把弓射箭的!"

8."我看你的弓已经淋坏了!""是吗?我来试试!"丘比特飞快地拿了一支箭,朝老诗人心口射去。然后,他大笑着跑掉了。

9.老诗人的心像一个年轻人的心那样激动起来,因为他中了丘比特的箭!这个顽皮的孩子,他就这样报答给他暖手、给他苹果吃的人!

10. 丘比特在世界上到处流浪,他有时装成一大群男孩子中的一个,和他们一样穿着校服;有时又装成女孩子最要好的朋友;有时,他还会装成一盏灯,一朵花,一条小溪……

11. 他一旦举起弓,被射着的人就永远也忘不了那中箭的滋味。不信,你可以去问问你的爸爸妈妈,也可以问问老祖母,但那可是老早以前的事了!

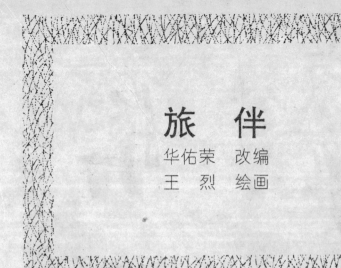

旅 伴

华佑荣 改编
王 烈 绘画

1. 约翰奈斯是个可爱的小伙子，可惜他从小就失去了母爱。前几
天，慈祥的父亲又病死了。他把所有的东西扎成一个小行李圈，怀
里揣着父亲留下来的50块钱，告别父亲的坟墓，走向茫茫的世界。

2. 约翰奈斯开始了漫无目的的流浪生活，当他经过一块教堂的墓地时，一个衣裳褴褛的老乞丐向他求援，约翰奈斯拿出几个银币说："可怜的老爷爷，这银币送给你吧。"

3. 天黑时，下起雨来，约翰奈斯走进一座孤寂的小教堂，睡在屋角的草堆上，半夜，雨停了，月亮从云缝里出来，照见屋内停着一口大棺材。

4. 这时，从门外走进来两个人，只见他们掀开棺材，说："你死之前欠了我们的钱不还，现在非把你拖到教堂外像只狗一样扔掉不可！"约翰奈斯制止说："你们不要这样对待一个死者，他们欠的债我来还！"

5. 约翰奈斯递上自己仅有的40多块钱，说："这是我继承的全部遗产，现在全给你们，请你们让这个可怜的死人休息吧！"两个人接过钱，悻悻地走了。

6. 天亮了，约翰奈斯离开小教堂，走进一片树林。这时，他听见后面有人喊："喂，朋友！你到什么地方去？"约翰奈斯说："我没有了亲人，要到广大的世界去！"

7. 陌生人追上来说："我也要到广大的世界去，我们结伴走好吗？"约翰奈斯答应了，他们很快就建立了友情。约翰奈斯发现陌生人见多识广，什么事情都知道。

8. 太阳升起来了，约翰奈斯同旅伴在一株大树下吃干粮。这时，
一位老太婆走来，她脚下一滑，"哎哟！"喊了一声，倒下来了。可
怜的老太婆跌断了腿。

9. 约翰奈斯和旅伴把老太婆扶起来，背着她把她送回家中。旅伴
从背包里取出一只小药瓶，把一种药膏涂在老太婆腿上，老太婆
的腿马上就好了。老太婆很感激，把三根树枝送给旅伴。

10. 又走了一整天，约翰奈斯和旅伴住进一家旅店。旅店的客厅
里坐满了人，一个艺人正在有声有色地演木偶戏。坐在最前面的
是一位胖屠夫，他的一只大哈巴狗坐在他身边。

11. 木偶戏正演到精采处，哈巴狗突然跳上舞台，一口咬住了王
后纤细的腰轻轻把头一甩，王后的美丽的脑袋便掉了下来。缺了
王后，木偶只好散场，大伙儿都很扫兴。

12. 旅伴拾起断了脖子的木偶王后，把他小瓶子里的药膏给她涂在断处，木偶马上复原了。她像有了生命一样，自己可以动着手脚，再也不用人牵线操纵了，木偶戏老板也被惊呆了。

13. 木偶戏老板拉着旅伴说："神奇的魔法师，请把我所有的木偶都变活吧！"旅伴笑着说："好吧，这件事很容易！"说完，他把药膏涂到每个木偶身上，所有的木偶真的活了起来。

14. 音乐声又响起来了，木偶们聚集到舞台上又蹦又跳，老板扯着喉咙唱着。这真是一场从来没有过的精采木偶戏，旅客们围着舞台，看得津津有味。约翰奈斯也开心极了，他对旅伴说："真棒，太有趣了!"

15. 第二天早上，约翰奈斯和旅伴离开旅店，走过一片大松树林。突然，一只白天鹅从天上掉下来，落在他们身边。白天鹅哀叫了两声，伸了伸腿，死去了。

16. 约翰奈斯抱起天鹅，说："我们应当救活它！"旅伴给天鹅涂上药膏，天鹅复活了。它用嘴拔下几根羽毛，说："这几根羽毛送给你们，感谢你们的救命之恩！"

17. 几天后，他们来到一座京城，城中央有一座美丽的大理石宫殿，它的屋顶是用金子盖的，公主就住在里边。不过，听人说，美丽的公主最近中了魔法，不少求婚的人都死在她手里了。

18. 约翰奈斯不愿更多的人死在公主的手里,他决定去见公主。走进王宫,只见公主正傲慢地坐在高背椅子上,他说:"公主,我来向你求婚,一则想治好你的病,二则想当你的丈夫,可以吗?"

19. 公主冷笑着说:"行啊,如果你明天进宫来,能回答出我的问题,我就嫁给你。如果回答不出来,你可就没命了!"约翰奈斯坚定的说:"我肯定可以回答出来!好吧,明天见!"

20. 约翰奈斯回到旅店，把见到公主的情况告诉了旅伴。旅伴端起一杯酒说："朋友，我佩服你的勇气，祝你成功！"约翰奈斯说："不过，为了得到公主，也为了不使更多的人遭到不幸，请你一定帮助我！"

21. 夜里，旅伴插上天鹅羽毛飞上天空，他发现公主穿着白色的长外衣，展开她黑色的翅膀飞出王宫，向一座大山飞去。旅伴连忙追上去，紧紧地跟着公主，不让她逃脱。

22. 旅伴从身上抽出树枝，使劲抽打公主的翅膀，公主叫着："好厉害的冰雹！打得我好疼呀！"她落到一座山头上，敲打着石头。石头裂开了，公主向一条大山缝钻去，旅伴也跟着钻了进去。

23. 他们钻过一条又长又宽的通道，来到一座恐怖的大厅。这里到处是有毒的长蛇和丑恶的妖精，黑蚱蜢在弹独弦琴，猫头鹰在敲鼓，可怕的魔王边喝酒边哈哈大笑："好呀！真开心呀！"

24. 公主见了魔王，问："伟大的魔王，现在又有一个不怕死的青年向我求婚，请问，我该用什么难题来对付他呢？"魔王说："你应该让他猜一样最难猜到的东西！嗯……就猜我的脑袋好了！"

25. 公主弯腰行了礼说："太好了，他无论如何也猜不出来的！"说完便飞出了大厅。旅伴走上前去，一把扭下魔王的脑袋，用一块布包好，挂在腰间，也飞了出去。

26. 旅伴回到旅店,把魔王的脑袋交给约翰奈斯。第二天,约翰奈斯带着布包来到王宫,见了公主说:"公主,请提出你的问题吧!"

27. 公主问:"你知道我现在正想什么吗?"约翰奈斯把布包往地上一扔,说:"我非常清楚,你就是想的这东西!"侍女打开布包,吓得惊叫着跌在地上:"天哪,太可怕了!"

28. 公主连忙问："你怎么得到了魔王的头？"约翰奈斯说："因为我有比魔王更厉害的本领！"公主见约翰奈斯猜对了，只好答应嫁给他。

29. 国王为找到了真正的女婿而高兴，他命令立刻举行婚礼。旅伴也为约翰奈斯的成功而感到高兴，他拿出一根天鹅羽毛说："你只要这样去做……"

30. 隆重的婚礼举行完了，欢乐的舞会后，约翰奈斯和公主回到卧室。约翰奈斯说："公主，你太累了，我帮你洗个澡吧！"说完，他把公主按进浴池，用天鹅羽毛往她身上淋水。

31. 公主大叫一声，变成了一只睁着亮眼睛的黑天鹅，在约翰奈斯的手下挣扎。约翰奈斯按住黑天鹅，不停的淋水，黑天鹅终于变成了公主。

32. 公主说她仿佛做了一场噩梦，她比以前更加美丽，更加动人。她眼里含着水汪汪的泪珠说："谢谢你，我亲爱的约翰奈斯，感谢你驱除了我身上的魔法，使我变成了正常的人！"

33. 第二天，旅伴来向约翰奈斯告别，他说："善良的小伙子，祝贺你获得了幸福！我就是教堂中棺材里的死者，再见！"说完，旅伴便消失了。约翰奈斯和公主的婚礼继续了一个月，后来，他们生活得非常幸福。

海 的 女 儿

华佑荣　改编

徐冰之
徐谷安　绘画

1. 在大海的深处，水是那么蓝，像美丽的矢车菊花瓣；水是那么清，像是明亮的玻璃。海王的一家就住在这里，他的六个小公主一个比一个美丽。

2. 这些海公主在海王和祖母的抚爱中成长,她们都长着人一样的头和身体,只是下肢还保留着鱼的特征,是一条美丽的尾巴。

3. 最年幼的小公主长得尤其美丽,她的皮肤又光又嫩,像玫瑰的花瓣;她的眼睛是蓝色的,像最深的湖水。她心地善良,不大爱说话,总是像在静静地想着什么。

4. 公主们住在海底的王宫里，她们最爱听老祖母讲故事。老祖母把一切关于船只和城市、人类和动物的知识都讲给她们听。听了这些有趣的故事，她们对人间充满了幻想。

5. 一天，小公主说："老祖母，我多么想到人间去看看啊！"老祖母说："等你满了15岁，我就让你浮到海面上去。你可以坐在月光底下的石头上，看巨大的船只在你身边驶过，还可以看到森林和城市。"

6. 五个姐姐相继到了 15 岁,她们过生日的时候,老祖母都准许她们浮上海面,去看了人间的事。姐姐们把见到的一切讲给小公主听,她好奇地睁大眼睛听着,希望快点到 15 岁。

7. 时间慢慢地流逝着,小公主日夜盼望的一天终于来到了。小公主 15 岁生日的夜晚,老祖母给她戴上百合花编的花环,她像一个轻盈而又明朗的水泡一样,浮出了水面。

8. 小公主在海面欢畅地游动着,啊,自由的鸟儿,飘浮的云彩,玫瑰色的夕阳!人间真比她想象的还要美一千倍。鱼儿们看见她,都说:"看呀,多么美丽的一只小人鱼呀!"

9. 海边停泊着一艘三桅船,船上挂着五彩缤纷的彩旗,甲板上音乐和歌声响成一片。小人鱼(就是小公主)看见船里站着许多服装华丽的男子,他们之中最美的一位就是有着一对大黑眼睛的王子。

10. 当王子走上甲板时,有一百多发火箭一齐向天空射去,天空中顿时出现了五彩缤纷的焰火。原来船里正在庆祝王子16岁的生日。看啊,王子是多么漂亮呀!

11. 突然,海上起了风暴,狂暴的海浪吞没了音乐和歌声,三桅船也被波涛击碎了。王子挣扎在漩涡里一直往海底沉去,眼看就要淹死了。

12. 小人鱼看见了这一切,她急忙在破船和木板之间困难地向王子游来。她拚足力气,驮起王子朝海滩游去,把昏迷了的王子推到岸边的沙滩上。

13. 天亮时,风暴过去了,鲜红的太阳照着昏迷中的王子,似乎在他脸上注入了生命。小人鱼在他清秀的额上吻了一下,希望他能苏醒过来。

14. 海岸不远的森林边,有一座漂亮的宫殿。伴着悠扬的钟声,一个年轻的姑娘朝海滩走来,小人鱼躲在海水中,目送着姑娘叫人把王子抬走,她才放心地游回大海深处去了。

15. 王子在宫殿里苏醒了,在佣人们精心的照顾下,他很快恢复了健康,并被送回了自己的国家。从此,王子经常想到那位在海滩上救他的姑娘。

16. 从这天起，小人鱼每天都要游到这海边来，遥望着王子居住的宫殿，仿佛这样就能和王子靠得更近一些。小人鱼多么渴望能再一次见到王子啊！

17. 小人鱼问祖母："为什么我们不能到岸上，不能到人类的世界里去呢？为什么我不能和年轻的王子在一起呢？"

18. "因为我们是人鱼,"祖母说,"我们的鱼尾不是人的两条腿,我们只能在这蔚蓝的大海里自由地来往。傻孩子,不要胡思乱想了吧!"

19. 海宫里举行舞会,姐姐们都欢快地唱着跳着,只有小人鱼坐在一旁静静地想着什么。最后,她独自游出海面,朝着海边游去。

20. 一个海底巫婆发现了小人鱼,急忙朝她游来,"哈哈,你是想去找心上的王子的吧?"巫婆说,"吃了我的药,你就可以变成人了!"

21. "真的吗?"小人鱼惊喜极了。"不过,你吃了药,尾巴就会像刀割一样疼痛,"巫婆说,"而且,你还得把你甜美的声音作为报酬送给我。"

22. 为了能和日思夜想的王子生活在一起,小人鱼毫不犹豫地答应了巫婆的要求,她忍痛割下自己的舌头。从此,小人鱼再也不能说话、不能唱歌了!

23. 小人鱼又喝下了巫婆给她的药剂,她感到鱼尾一阵剧痛,昏了过去。当她苏醒时,发现自己正躺在柔软的沙滩上,她的鱼尾已经变成了两条腿。

24. 王子到沙滩上散步，发现了她。王子亲切地询问她的来历，小人鱼温柔地望着王子，却说不出话来。王子挽着她的手，把她带进王宫，她迈着轻盈的步子，所有的人都被她的美丽和高贵惊呆了。

25. 小人鱼穿上了丝绸和细纱做的华丽的衣裙，更加光彩照人。她是宫里最美的女孩。她多么想向王子倾诉自己的爱恋，多么想对王子唱出自己的心声啊！可是，她办不到！

26. 王子让人为她做了一套男孩子的衣服,天天和她一起去骑马打猎。王子一天比一天更爱她,他像爱一个心爱的小妹妹一样关心着她,但从未提起要娶她做妻子。

27. 老国王要求王子去迎娶邻国的公主,在迎亲的船上,王子对小人鱼说:"我一直爱着海滩上那个姑娘,因为是她救了我的性命,我不会娶别的姑娘作妻子。"

28. 第二天，船开进了邻国皇城的港口，王子正准备向国王辞去这桩婚事，一位羞答答的公主出现在王子面前。

29. 原来，她就是海滩上救王子的姑娘！王子走上去说："公主，我一直在寻找你，我多么爱你呀！"他回过头来对小人鱼说："小妹妹，我终于找到了救我的姑娘，你也来分享我的幸福吧！"

30. 小人鱼把王子的手吻了一下，她虽然脸上还挂着微笑，但她的心已经碎了！当时，不正是自己冒着危险，在风暴中把王子救出来的吗？可她如今却不能说明这一切。

31. 迎亲的船启航了。航行在月光照耀的大海上。小人鱼的姐姐们在海面上出现了，她们说："好妹妹，王子辜负了你的心！快杀死他！这样，你还能变回原来的样子，回到我们中间来！"

32. 这时，王子和公主都睡着了，小人鱼轻轻走来，掀开床上紫色的帐幔，举起了手中的尖刀。

33. 忽然，她发现王子和公主是那样甜蜜地依偎着，正沉浸在幸福的睡梦之中。刀子在小人鱼手中发抖了，她转身跑上甲板，把刀子扔进了大海。

34. 东方出现第一缕阳光。在刀子沉下去的地方，浪花发出一道红光，好似有许多血滴溅出了水面。小人鱼迎着波浪上的闪闪金光，纵身跳进了她熟悉的大海，像一个泡沫一样消失了。

35. 小人鱼只觉得自己的身体慢慢升起来，升入玫瑰色的云块，升上了湛蓝的天空。她同许许多多透明的小天使一起飞翔着，在世界的上空播撒着爱……

皇帝的新装

华佑荣　改编

李广宁　绘画

1. 很久以前有一位皇帝，他非常喜欢穿漂亮的新衣服。他每天每个钟头要换一套新衣服，人们通常提到皇帝时，总是说："皇帝在会议室里。"但人们一提到这位皇帝时，总是说："皇帝在更衣室里。"

2. 一天,两个骗子来见皇帝,他们说自己是天下最好的织工,他们能织出谁也想象不到的最美丽的布,简直比天上的彩虹还要美丽!

3. 骗子又说:"我们织出的布不仅色彩和图案最好看,而且用它缝出来的衣服还有一种奇异的作用,那就是这种衣服只有聪明人看得见,愚蠢的人是看不见的。"

4. "太好了!"皇帝心想,"我穿了这样的衣服,就可以看出我的王国里哪些人是聪明人,哪些人是愚蠢的傻瓜。是的,叫他们马上织出这种神奇的布来。"

5. 皇帝给了骗子很多钱,要他们马上开工。骗子摆出两架织布机,装模做样地忙碌着,可是他们的织布机上什么东西也没有。

6. 他们要皇帝发一些最好的生丝和金子给他们,说是织布时用,其实都装进了腰包。天黑时,皇帝对一位老大臣说:"去看一下,看布织得怎么样了!"

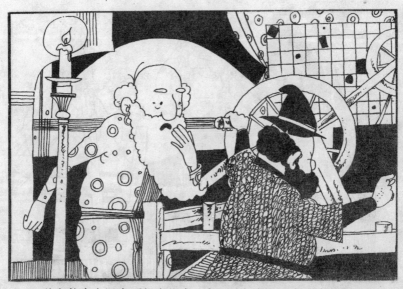

7. 善良的老大臣来到织布机旁,看见两个骗子正在空空的织布机上忙忙碌碌地"工作"着,惊得目瞪口呆:"啊,这是怎么一回事情呢?"

8. 骗子指着织布机问："看呀,布的花纹多么美丽,色彩多么漂亮啊!"可怜的老大臣眼睛越睁越大,可是仍然什么也没有看见。

9."我的老天爷!"老大臣揉着眼睛心想:"难道我是个愚蠢的人吗? 我决不能让人们知道这种事情,不能让人们说我不称职!"

10. 老大臣戴上眼镜,笑着看了看织布机说:"哈,美极了!多么美的花纹,多么漂亮的色彩哟!我马上去告诉皇上,我对这种神奇的布太满意了!"

11. 两个骗子嘻嘻笑了一阵,又向老大臣要了更多的蚕丝和金子,说是为了织布的需要。他们把这些东西又都装进了腰包,仍然在空织布机上忙碌着。

12. 老大臣见了皇帝,把两个骗子的话一个字不漏地背了一遍,还添油加醋地说:"陛下,那两个织工真能干,织出的布……啧啧!"

13. 第二天,皇帝又派另一个诚实的官员去看看布织好了没有,官员围着织布机转了两圈,只见上面什么也没有,什么东西也看不出来。

14. 骗子又指着空织布机问他:"你看这段布美不美?"官员心想:"这大概是因为我不配担当现在的官职吧,但我决不能让人们说我愚蠢!不行,我不能说什么也没有看见!"

15. 于是,官员用手抚摸着织布机上并不存在的"布"说:"是的,这布太美了,我太喜欢这些布了!这么美丽的颜色,这么巧妙的花纹,我从来没有见过!"

16. 官员见到皇帝,绘声绘色地向皇帝报告:"陛下,布料好看极了,这下您又有漂亮衣服穿了!"皇帝很高兴,他决定亲自去看看那些美妙绝伦的布料。

17. 皇帝带着一群大臣,前呼后拥地来到织布机旁,只见两个骗子正满头大汗地忙碌着。两个大臣抢先问道:"陛下,您看,这布料多么漂亮,多么美丽!"

18. 两位大臣相信,皇帝一定比他们聪明,一定能看出织布机上的布料来。两个骗子也乘机问:"尊敬的皇帝,这么漂亮的布料,您一定非常喜欢吧!"

19. 皇帝被弄糊涂了,他望着空织布机,张大嘴巴说不出话来。他想:"我什么也没有看见呀,这真是荒唐!难道我是一个愚蠢的人吗?难道我不配作皇帝吗?不行,我不能说真话!"

20.皇帝笑眯眯地看着织布机,说:"啊,真是美极了,我十二分地满意!"跟他来的大臣们也都装着样子仔细看了一番,赞叹道:"太美了!"

21.大臣们建议皇帝用这种新奇的、美丽的布料做成衣服,穿上这种衣服去参加将要举行的游行大典。

22. 皇帝十分得意,他赐给骗子每人一个爵士的头衔和一枚可以挂在扣子洞上的勋章,还封他们为"御聘织师"。

23. 游行大典的前夜,两个骗子整夜没睡,点起16支蜡烛,忙着为皇帝赶制新衣。他们把"布料"从织布机上取下来,用两把大剪子在空中裁了一阵子,又用没有穿线的针缝了一通,最后说:"请看,新衣服缝好了!"

24. 第二天一早，骗子手捧衣服（其实什么也没有），来到皇帝面前说："请看吧，这是裤子！这是袍子！这是外衣！这衣服轻柔得像蜘蛛网一样，穿着它就像没有穿衣服一样！哈，这衣服妙就妙在这里呀！"

25. "现在请皇上脱下衣服，"两个骗子说，"我们要在大镜子前面为陛下换上新衣服！"皇帝把衣服全脱光了，要两个骗子给他穿上"新衣服"。

26."先穿衣服！再穿裤子！最后穿外套！"两个骗子比划着，把"衣服"一件一件地给皇帝穿上。皇帝在镜子前转了转身子、扭了扭腰肢，问："你们看怎么样？"

27."上帝，这衣服多么合身啊！式样裁得多么好看，多么新颖呀！"大臣们争着说，"多么美的花纹，多么美的色彩！真是一套精美贵重的衣服！"

28. 游行开始了，赤身露体的皇帝神气十足地走在队伍的最前面。站在街上和窗子里的人都说："看呀，皇上的衣服多么漂亮，多么合身！"因为他们也不愿意让人们说他们愚蠢。

29. 忽然，一个看游行的孩子叫起来："看，皇帝没有穿衣服！""上帝哟，你听这个天真的声音！"孩子的父亲把孩子的话低声传播开去。

30. "他并没有穿衣服呀!""有个孩子说他没有穿衣服!"人们看着皇帝一副滑稽相,禁不住都笑起来,并大声地议论着。

31. 皇帝听到了人们的议论,他有些发抖,因为他似乎觉得老百姓们说的是真话。不过,他仍然摆出一副骄傲的样子,心想,反正你们都是傻瓜,只有我最聪明!

幸运的套鞋

华佑荣 改编

岳昕 汝丽 绘画

1.哥本哈根城的一幢房子里，正在举行一个盛大的宴会。一半的客人在玩扑克，另一半客人在闲聊，当话题扯到中世纪时，一位司法官坚持认为那是最好的时代，于是他和大家都吵了起来。

2. 在外面放外套、手杖和套鞋的前房里,两个女人对客厅里的吵闹充耳不闻,你也许会认为她们是两个佣人,其实她们是幸运女神和忧虑女神。

3. "我要送一双套鞋给这些人,他们穿上这套鞋可以满足他说出的任何愿望!"幸运女神说。"请相信我,"忧虑女神说,"他们一定会为这鞋子苦恼的!"

4. 时间不早了,两位仙女走了,客人们也要走了。那位司法官一边
嘀咕着:"现在要在中世纪就好了!"一边穿上了那双幸运的套鞋。
这时,他立刻发现自己走在一条泥泞的路上,中世纪的路就是这
样。

5. 街道上那么黑,没有路灯也没有马车,只有一两个人穿着古代
的衣服从他身边走过。"他们大概刚从化妆舞会出来!"司法官想。

6. "请问,克里斯仙码头在哪边?"他问两个船夫,但船夫告诉他哥本哈根压根儿没有这个码头。"我一定是酒喝多了,现在我到新市场去叫辆马车吧!"

7. 当他来到新市场时,当时那儿还是一片广阔的草地,一条运河在中间流过。"唉!我一定是病了!"司法官在街上走来走去,最后来到一家酒店。

133

8. 人们看着他的衣服，都以为他是个外国人。这些人在讨论科隆城上出现的幻像，认为这是一种预兆。"那不过是北极光罢了！"司法官打断他们的话说。

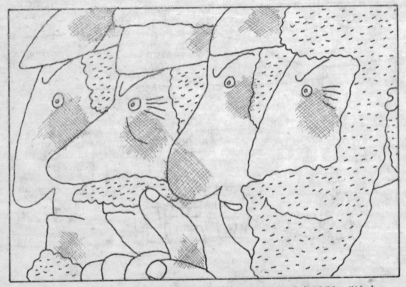

9. 这些中世纪的人十分气愤，他们用许多愚蠢的话来反驳。"这个国家真退化到野蛮时代了！"司法官说。他灵机一动，准备从桌子下钻出这愚昧的人群。

10. 但人们不放他走，他们抱住他的双腿，扯掉了他的套鞋，于是，中世纪的一切消失了。司法官坐在灯光明亮的大街上，暗自庆幸："唉，这路灯，马车多么好啊！"

11. 套鞋留在了一座住宅的门口。"这一定是楼上中尉的鞋，他真是个幸福的人，又没有妻子，又没有哇哇叫的孩子！"守夜人看到了这双鞋时说。

12. 守夜人把他的脚伸进了鞋子里,"啊！这中尉的鞋多么暖和,我要是他就好了！"话音刚落,守夜人真的变成了中尉。

13. 中尉在他楼上的房子里溜达,心里想:"我多么不幸,我爱的姑娘,她一点儿也不爱我！"然后他就写了一首长诗来表示他爱情的痛苦。

14."我要是那个守夜人就好了,他有一个温暖的家,那么多快乐的孩子,我要能变成他就好了!"守夜人果然又变了回去。"这一定是我做梦变成了楼上那位先生,现在我可再不想是他了!"

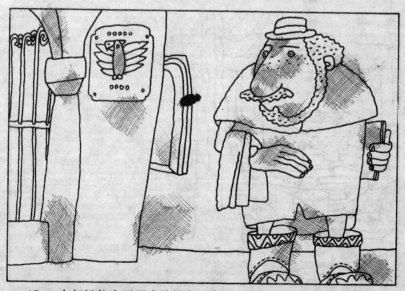

15.一个年轻的实习医生从楼上下来了,他是一个糊涂的人,就把这套鞋当成了他自己的穿上了。他来到医院拿了他的东西去参加宴会,但这时天色已晚,医院大门已上了锁,他只有从铁栅栏间钻出去了。

16. 实习医生长得相当肥胖,当他来到栅栏前时,说:"我的头要钻出去就好了!"于是他的脑袋十分轻松地钻出了栅栏。但他肥胖的身躯却出不来了。"这真是见鬼,见鬼!"医生说。

17. 实习医生不停地咒骂,可就是出不来。直到最后他说:"真是糟糕透了!要不是这该死的栅栏我早就坐在宴会上了!我真希望现在我在那里吃着蛋糕!"马上,实习医生发现自己真的就坐在大厅里了。

18. 实习医生坐在客人中东张西望,这时,他又说:"这么多客人,他们的心里想什么呢? 要是我能知道就好了。"幸亏没有别人听到这句话,不然他们一定会好好地取笑他一通。

19. 实习医生立刻变小了,他钻进了一位太太的心里。这位太太心里全是些奇形怪状的模型,这就是她在不断模仿着的时髦。

20.另一位太太心里像一座明亮的大教堂,纯洁的白鸽子在里面飞着,实习医生赶快钻了出来,飞进了第三位太太心里。啊!那儿生长着可爱的花朵,许多小孩在花里跑来跑去。

21.实习医生又飞进了男人的心。一位先生心里像一间全是镜子的房间,主人在里面自己欣赏自己。而一位威武的军官心里全是小小的尖针,"这该是一位老处女的心才对呢!"医生说。

22. 实习医生从最后一个人心里出来时，他说："这一切多么古怪啊！我一定是从栅栏里钻出来时把头脑挤坏了！我真该洗个热水澡，我现在要是在澡堂里就好了！"

23. 实习医生就穿着外衣和套鞋站在澡堂的蒸汽里了。周围的人看他这副打扮都十分吃惊，他们把他的衣服和鞋子脱下来扔出去说："您这样可太滑稽了，别人会当你是疯子呢！"

24. 套鞋被人拾到后送到了失物招领处。这天，天正下着大雨，招领处的一位录事便把这双鞋穿了出去。

25. 录事拿着一大堆文件不住地发牢骚："我的生活是多么不自由啊！整天和这些讨厌的文件纠缠！我真想成为一个诗人，诗人是多么浪漫，多么有趣啊！"

26. 录事的愿望实现了,他变成了一个诗人,行走在春天的原野上。"啊!"他发出了诗人的感叹,"今天是个多么美丽的春日啊!空气是多么清新,云彩是多么瑰丽,花木是多么馨香!"

27. 他把手伸进衣袋,发现一封剧院经理给他写来的信,信中说,他的一个名叫"西格卜丽思夫人"的五幕悲剧的剧本被拒绝了。"真有趣,我什么时候写过剧本?"他想。

28. 几只小鸟在树枝间蹦跳，他看了说："啊，美丽的、自由的、可爱的……小鸟，你们是多么幸运啊！如果我变成一只百灵鸟，我将是最最幸福的诗人……"

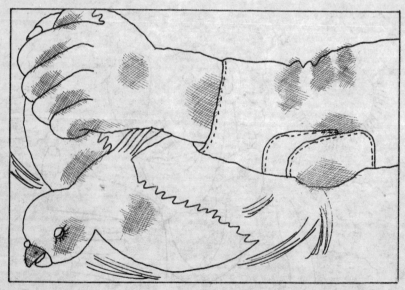

29. 话没说完，他又变成了一只小鸟。这时，一个孩子向这只百灵鸟抛来一顶大帽子，把他罩住了。小孩伸手进来，抓住他的翅膀，弄得他吱吱喳喳大叫起来："别动我，我是警察署的录事！"

30. 孩子把小鸟带回家,把他同一只鹦鹉一起关进一个雀笼里。鹦鹉说:"可怜的丹麦鹊子,这笼子里可不好受,趁笼门没关好,你还是飞走吧!"录事照办了,他冲出雀笼。

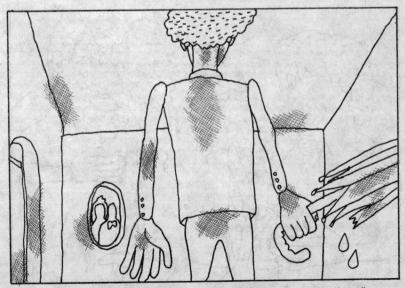

31. 录事经历了这一连串的故事,他觉得还是当个人好。他飞进一个熟悉的房间,说:"还是让我像个人吧!"原来他又回到了自己的房间,他惊叹道:"我做了一个混乱的梦,真是荒唐透顶。"

32. 第二天天不亮，一个学生把幸运的套鞋借去了，学生心想：我要是能去旅游一番多好啊，我首先到瑞士！套鞋马上发生了效力，他来到瑞士，坐在一辆奔驰的马车里。

33. 不一会儿，随着他奇怪的想法，他又来到了意大利。他住进一个专门收留穷人的旅馆，穷人们围着他，说："可怜可怜我们吧！"这儿热气逼人，蚊虫很多，穷人们在哭泣着、诉说着。

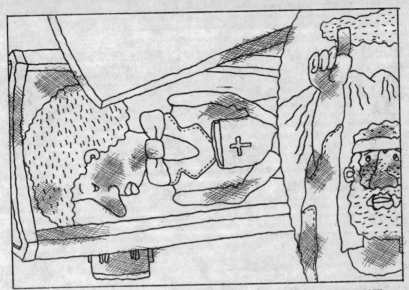

34. "啊,我想要达到一个幸运的目的!"他话一出口,立刻回到了
自己家里。躲在屋子中间的一口棺材里。因为古希腊的智者索龙
说过:"人只有进了棺材,才是最幸运、最快乐的了!"

35. 这时,两个人影出现了,一个是忧虑女神,一个是幸运女神。幸
运女神说:"看,这人多幸福!"忧虑女神说:"不,他还没有完成他
一生应做的工作,不能让他死!"于是她们脱下幸运套鞋,望了望
苏醒的人,走开了!

雏　菊

华佑荣　改编

范汉成　绘画

1. 乡间大路的旁边有一座别墅，你可以看到别墅前种满了花的小花园和一排油漆过的白栅栏。

2. 在附近的一条沟里，美丽的绿草中有一棵小小的雏菊。明亮的
太阳照着它，它就张开它光洁的花瓣，快乐地开放起来，好像这一
天是个大节日一样。

3. 雏菊在它的小绿梗上向上仰望，它听到了一只百灵鸟在歌唱。
"它唱得多么好！太阳照着我，风吹着我，还有这只鸟在唱着春天，
我是多么幸福啊！"雏菊想。

4. 栅栏里长着许多名花——玫瑰、郁金香和牡丹,它们一个比一个更骄傲。"它们是多么好看啊!鸟儿一定是为了它们才歌唱的。感谢上帝,我能在这么近的地方看到它们!"雏菊说。

5. 百灵鸟飞下来了,它并没有飞到栅栏里去,而是停在雏菊身边。"你的心是金子,你的衣服是银子!"它唱道,这使雏菊心里又幸福又害羞,简直不敢抬起眼睛看百灵鸟。

6. 栅栏里的花十分生气,它们板着脸把梗子挺得更直。幸而它们都不会说话,否则雏菊一定会挨一顿骂的。

7. 一个女孩子拿着剪刀走进了花园,她一直走到那美丽的花丛中。把它们一朵一朵全剪下来装进了篮子。"唉!这真是可怕!"雏菊叹了一口气说。

8.第二天早晨,雏菊向空气和太阳又张开它小手臂般的白色花瓣时,它又听到了百灵鸟的歌声。今天鸟儿的歌声是悲哀的,因为它像一个囚徒一样被小孩关进了笼子。

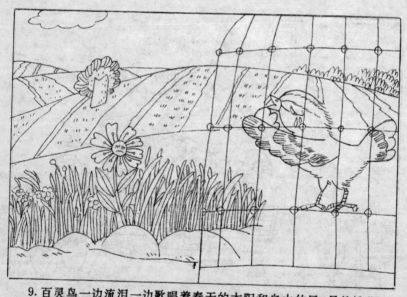

9.百灵鸟一边流泪一边歌唱着春天的太阳和自由的风,虽然雏菊就在这幸福的一切中,但它心里只想着怎么才能帮助这只不幸的鸟。

152

10. 两个男孩从花园里走了出来，"我们可以为百灵鸟挖一块很好的草皮。"然后他们就在雏菊周围挖下了一块四四方方的草皮，雏菊正好留在草皮中央。

11. 现在雏菊来到了百灵鸟的身旁，它多么希望自己能安慰百灵鸟啊，但它一个字也说不出来。"这儿没有水喝，孩子们把我忘了！"鸟儿说完，就把嘴伸进清凉的草皮里。

12. "你这朵小花也只能在这里枯萎了！我看着你，就想起了外面的一切。你的每一个花瓣都像一朵花，这草皮上每一片叶子都像一棵树！"百灵鸟渴极了，但它只吃力地啄着草，不舍得动这株花。

13. 雏菊难过极了，它精致的花瓣发出浓烈的香气，但百灵鸟最需要的是水。直到傍晚，孩子们还没来，百灵鸟就在这郁郁的花香中死去了。

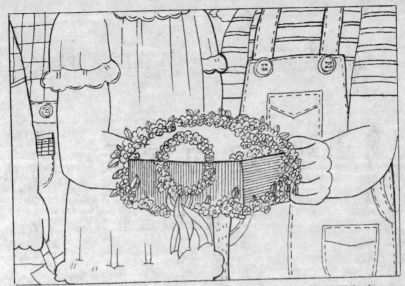

14. 第二天早晨孩子们才来，他们看到这只死鸟时，都哭了起来。
他们为鸟儿举行了一次隆重的葬礼，把这小小的尸体装进了放满
鲜花的红匣子里，所有的小孩都淌出了眼泪。

15. 这个小小的歌手，在它活着时谁也不记得给它一点儿水，可死
后却得到这样多的尊荣和眼泪。那朵小雏菊呢？它是百灵鸟生前
最关心他的，现在它被扔到了外面路上的尘土里。

坚定的锡兵

华佑荣　改编

吴吉仁　袁晓平　绘画

1. 一个孩子过生日，母亲送给他一盒锡兵，这 25 个锡兵肩上扛着毛瑟枪，眼睛直直地向前看着。他们的制服一半是蓝的，一半是红的，看上去非常漂亮。

2. 这些锡兵都是一个模子铸出来的，所以都一模一样，只有一个稍稍有点不同：他只有一条腿，因为他是最后一个铸出来的，锡不够用了！

3. 这些锡兵被摆在桌子上，那个一条腿的锡兵坚定地站着，同别的锡兵没有什么两样。桌上还有不少玩具，其中最美丽的是一位纸做的小姐。

4. 这位小姐穿着一条漂亮的裙子,她肩上飘着一条小小的蓝色缎带,缎带中间插着一件亮晶晶的装饰品。她把一条腿举得高高的,简直像一位舞蹈艺术家。

5. 一条腿的锡兵因为看不见小姐的另一条腿,误认为她也是只有一条腿,于是便想着:她能做我的妻子倒挺合适……不过,看起来她架子挺大……,我不妨跟她认识一下。

6. 锡兵这样想着,可他却不会动弹,所以只能用热烈的目光望着小姐。夜里,鼻烟壶的盖子打开了,从里边钻出来一个黑色的小妖精。

7. "锡丘八!"妖精说,"请把你的眼睛放老实一点!"锡兵听了,装着没有听见。妖精又喊道:"好吧,明天够你瞧的!"

8. 第二天早晨,孩子们把锡兵摆在窗台上。不知是妖精搞的鬼呢,还是一阵风在作怪,窗子忽然开了,锡兵从三楼倒栽葱似地跌到地面上。

9. 这一跤跌得可真不轻,锡兵被摔进石头缝里,差点儿把仅有的这条腿也摔断了。他倒立在他的钢盔中,刺刀插在街上的泥土里。

160

10. 保姆和那个小孩下楼来寻找,虽然他们几乎踩着了锡兵,但仍然没发现他。不久,一阵雷声响过,天开始下雨了,顿时,地面出现了一条小水沟。

11. 雨停后,两个孩子从街上走过。"你瞧!"一个孩子说,"这儿躺着一个踢兵,我们让他去航行一番吧!"

12. 他们用一张报纸折成一条船,把锡兵放在里边。船在水沟里顺流而下,两个孩子在岸上跟着他跑,拍着手。船在水里簸动着、旋转着、可锡兵却面不改色,扛着毛瑟枪,眼睛向前看。

13. 纸船流进了一条黑暗的下水道里,锡兵心想:我倒要看看,我究竟会流到什么地方去。对了!假如那位小姐在我身边,就是加倍的黑暗我也不在乎。

14. 一只住在下水道的老鼠发现了锡兵，大声问："喂，你有通行证吗？如果没有通行证，赶快交过路钱！"锡兵一句话也不回答，只是把毛瑟枪握得更紧。

15. 水流得越来越急了，在下水道的尽头是一条运河。锡兵像被一股巨大的瀑布冲下去一样，猛地跌进运河里。

16. 纸船里进了很多水,它旋转着开始下沉了。锡兵的全身都浸在水里了,只有头伸出水面。慢慢地,水淹到锡兵的头上来了。

17. 锡兵不禁想起了那个美丽的、娇小的舞蹈家。可惜他永远也不会再见到她了!他提醒自己:"你是个士兵,要勇敢些,不应当怕死!"

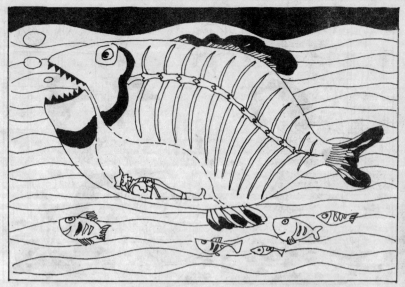

18. 纸船破了,锡兵一直往水下沉去。正在这时,一条大鱼游来,一口把他吞进肚子里去了。鱼肚子里又黑又窄,锡兵难受极了,但他仍然坚定地扛着自己的毛瑟枪。

19. 不知道过了多久,锡兵眼前突然亮了起来,同时听到有人喊:"哈,一个锡兵!"原来,大鱼被捉住,送到市场上卖掉,又被送进厨房里来了。

20. 女仆用一把刀子把鱼肚子剖开时，发现了锡兵，她用两个手指把锡兵拦腰掐住，送到客厅里来，让大家看看这个来历非凡的勇士。

21. 嗨，世界上不可思议的事情可真多！锡兵发现自己又来到了从前的那个房间里，他又看到了从前的那些小孩，看到了桌子上那些玩具。

22.锡兵回到了老朋友们中间,他深情地望着那位可爱的、娇小的舞蹈家。她仍然用一条腿站着,另一条腿仍然高高地翘在空中。她也很坚定呢!

23.锡兵受到了感动,他觉得仿佛有一股暖流涌遍全身,他和舞蹈家相互用热烈的目光对望着,他们虽然不能说话,但他们的心是相通的!

24. 这时，有一个小孩把锡兵拿起来，一下把他扔进火炉里去了。
小孩为什么这样？这当然又是那个鼻烟壶里的小妖精从中捣鬼。

25. 锡兵只觉得浑身发热，闪着亮光，一股可怕的热气冒了出来，
身体在烈火中慢慢开始熔化了。

26. 所有这一切,都被那位娇小而又美丽的舞蹈家小姐看见了。她涨红着脸,多么想来帮助锡兵啊!然而,她无法行动!

27. 锡兵的身子几乎全部熔化了,但他仍然扛着枪,坚定地站在烈火之中。这时,从窗户里突然吹进一阵风来,舞蹈家乘着风力,像一个体态轻盈的仙女,飞向火炉,飞到锡兵的身边!

28. 火炉里升起两团明亮的火焰，一团是锡兵发出的，另一团是舞蹈家发出的。两个纯洁的生命结合在一起了，他们化成了熠熠闪光的火苗！

29. 第二天，当女仆去倒炉灰时，发现锡兵已经变成一颗小小的锡心。锡心的中央有一个闪亮的玻璃球，那就是舞蹈家挂在胸前的装饰品。

野 天 鹅

晓 寒 改编

徐谷安 徐冰之 绘画

1. 当我们的冬天到来的时候，燕子便向辽远国飞去，《野天鹅》的故事，便发生在辽远国。这个故事虽然已经流传了很多年，但小朋友们还是很爱听。

2. 辽远国王有 11 个儿子和一个女儿，儿子个个漂亮，女儿十分美丽。女儿的名字叫艾丽莎，她在父母的爱护下，非常幸福地生活着。

3. 不幸的事情发生了，他们的母亲因病去世了，父亲又娶来一个狠毒的王后。王后妒嫉艾丽莎的美丽，把她送到农民家寄养。艾丽莎同穷孩子一样，穿着破衣裳，吃着粗糙的食物。

4. 王后也看不惯 11 个王子，她在国王面前说了许多关于那些可怜王子的坏话，弄得国王再也不愿理他们了。王子们发现父亲不再爱他们了，很伤心。

5. 恶毒的王后使用魔法，对 11 位王子说："你们飞到野外去吧，像那些没有声音的巨鸟，自己去谋生路吧。"但她的魔法并没完全实现，王子变成了 11 只美丽的野天鹅飞走了。

6. 可怜的小艾丽莎呆在农人的屋子里，玩着一片绿叶，她在叶子上穿一个小洞，通过小洞她似乎看到哥哥们明亮的眼睛。

7. 日子一天一天地过去了，小艾丽莎15岁了，国王召她回宫。皇后一眼看到她那么美丽，气得直咬牙："哼，等着瞧吧，我一定要害死她！"

8. 当艾丽莎去洗澡时，王后将三只癞蛤蟆放进澡盆里，癞蛤蟆在
艾丽莎身上乱抓乱爬，弄得她脸上身上又黑又丑。国王看见她说：
"哪来的丑姑娘，快滚出去！"

9. 艾丽莎悲哀地哭着，朝一个大森林走去。她在森林和沼泽地上
走了一天，夜幕降临了，她迷失了方向，便在柔软的青苔上躺了
下来，迷迷糊糊地睡着了。

10. 在萤火虫的歌声中，艾丽莎做了一个甜蜜的梦——她回到哥哥们的身边，和他们一起读书、一起游戏。当太阳出来时，她摘了一片带着露水的树叶洗脸。

11. 奇迹出现了！艾丽莎变得比原来更加美丽、更加可爱了。她漫无目的地朝森林里走着，看见一位老太婆正在灌木丛中采浆果。

12. 她帮老太婆提篮子，并问："老奶奶，您看见过 11 个漂亮的王子吗？"老太婆带艾丽莎来到大海边，她一招手，只见 11 只戴着金冠的天鹅朝艾丽莎飞来。

13. 太阳落山时，11 只天鹅变成了 11 个王子，他们正是艾丽莎的哥哥啊！原来，11 个哥哥被继母施了魔法，他们白天变成天鹅，到了夜晚才能恢复人形。

14. 艾丽莎终于见到了自己日夜思念的哥哥，她向哥哥们哭诉了自己的委屈和遭遇，最后说："我要和你们在一起，除了你们，我再也没有亲人了。"

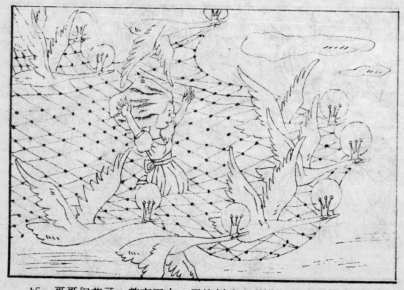

15. 哥哥们花了一整夜工夫，用柳树皮和芦苇织成一张又大又结实的网。天亮时，艾丽莎坐在网里，变成天鹅的哥哥们从四周衔着网，飞上了天空。

16. 飞啊！飞啊！太阳落山的时候，他们在一个美丽的岛国降落了。哥哥们又恢复了人形，他们把艾丽莎安排在一座华丽的宫殿里住下来。

17. 睡梦中，采浆果的老太婆又出现了，她说："你用荨麻叶织披甲送给哥哥，他们就能得救，但在哥哥们得救以前，你一直不能说话，否则，一切都无法实现！"

18. 荨麻的叶子长满了尖刺，艾丽莎那细嫩的小手一摸上去，立刻像火烧一样疼。可是，艾丽莎为了救哥哥，她什么痛苦也可以忍受。第一天，她就采了一大堆荨麻叶。

19. 为了能使哥哥早一天得救，艾丽莎夜以继日的工作，手都被刺出血来了。哥哥们不明白她在干什么，他们问她、劝她，可她连一句话也不说。

20. 一天，当艾丽莎在山上采荨麻时，被外出打猎的国王发现了，把她带回了王宫当了王后。艾丽莎穿上了镶着宝石的衣裙，她虽然不说话，但国王仍然很爱她。

21. 白天，她同国王在一起，晚上，她悄悄地到宫外去采荨麻，编织披甲。她把编织好的披甲一件件叠好，细心地收藏着，不让国王发现。

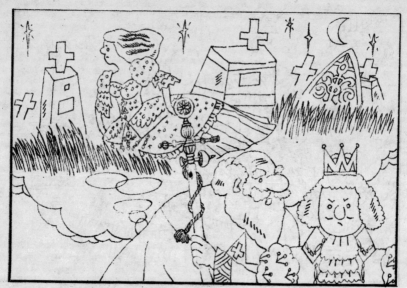

22. 一天夜里，艾丽莎去一片墓地采荨麻叶，被大主教发现了。大主教悄悄对国王说："陛下，新来的哑王后是个妖魔，她每天晚上都到墓地去，哎呀，真是太可怕了！"

23. "胡说！"国王训斥说，"王后美丽温柔，不许你说她的坏话！"大主教还想说什么，但国王不耐烦地说："你走吧，现在我不想听你说话！"

24. 当夜幕降临时,艾丽莎来到那间秘密的房子里,她数了数,披甲已经织好 10 件了。艾丽莎兴奋地向墓地走去,她再采一次荨麻叶,就可以织完 11 件披甲了。

25. 大主教一直监视着艾丽莎的行动,他看见艾丽莎的身影,连忙去报告国王,并带着国王跟踪到墓地,说:"瞧,她和墓地的吸血鬼是一伙妖魔。"

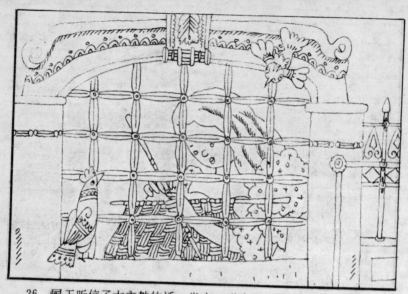

26. 国王听信了大主教的话，发布一道命令："把她烧死！"艾丽
莎被关进了监牢，她虽然无法辩解自己的委屈，但仍然没有停止
手上的工作。

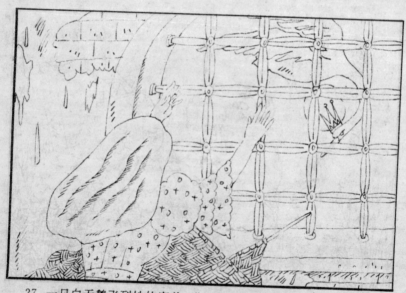

27. 一只白天鹅飞到她的窗前，艾丽莎认出这就是最小的哥哥。因
为她不能说话，所以只能用手势告诉哥哥：披甲明天就可以全部
织好了。

28. 天鹅痛苦地呜咽着飞走了，艾丽莎脸上露出了幸福的笑容。天亮时，一匹又瘦又老的马拖着囚车向广场走去，广场上将要执行烧死艾丽莎的火刑。

29. 广场上挤满了看热闹的人，艾丽莎坐在囚车里，她穿着粗布囚衣，脸色惨白，身边放着 10 件披甲，手中的那件披甲也差不多快要织完了。

30. 大主教站在台子上叫嚷着:"今天,我们要烧死一个妖魔!一个不折不扣的妖魔!"人们发出一阵阵议论:"瞧,那妖魔还在摆弄手里的妖物呢!"

31. "等着瞧吧,等一会儿她和她的妖物就要变成灰烬了!"艾丽莎在人们的笑骂声中显得异常坦然。她没有中断手里的工作,终于把披甲织完了!

32. 这时，11 只白天鹅飞来了，落到囚车上，围着艾丽莎拍打着宽大的翅膀。艾丽莎把披甲抛向天鹅，天鹅得到披甲，立刻变成了 11 位英俊的王子。

33. "现在我终于可以开口讲话了！"艾丽莎向人们诉说了自己的不幸，众人都被感动了。艾丽莎激动、焦虑、痛苦一起涌上心头，她失去了知觉，倒在哥哥的怀抱里。

34. 这时，火堆上的木柴都突然生了根，冒出了枝叶，开出了又大又红的玫瑰花。在所有的玫瑰花中，一朵又白又亮的鲜花射出光辉，像一颗明亮的星星。

35. 国王摘下这朵花，插在艾丽莎的胸前。艾丽莎苏醒过来了，她扑到国王的怀抱里，心中涌起从未有过的幸福。这时，所有教堂的钟都自动响了起来，国王挽起艾丽莎，朝王宫走去。

天国花园

晓　寒　改编
徐　鹤　绘画

1. 从前有一位王子，他读过那么多美丽的书，他知道世界上所有的事情。但是关于天国花园的事，任何书上都没有提过，于是王子就最想知道这件事。

2. 有一天他在森林里散步,突然下起了大雨,可怜的王子身上没
有一丝是干的,他只有钻进了一个大山洞——山洞里燃着一大堆
火,一个身材高大的女人在火上烤着一只牡鹿。

3. "你来到了风之洞了!"女人说,"我就是世界上四种风的母亲,
你如果愿意留下来的话,你可以认识我的儿子们。""我愿意留下
来,外面雨太大了!"王子说。

4. 不一会儿,北风夹着一阵冰冷的寒气冲了进来,他穿着熊皮大衣,冰雹不停地从他衣领上滚下来。

5. "我从北极来,那儿人们在猎海象。那些大海象那么肥,活像一些长着长牙齿和猪脑袋的活香肠!""啊!听你这么说,我的口水都要流出来了!"风妈妈说。

6."嗨！现在有一阵海的气息和愉快的清凉味，一定是我的兄弟西风来了！"北风说。"就是小小的西风吗？"王子问道。"是的，"风妈妈说，"不过他并不是那么小了！"

7.西风的样子像一个野人，但在宽边帽的保护下他的面孔还是很美丽。他手上捏着一根桃花心木的枝条，按道理说，他应该算是一个美洲人！

8. "我在美洲看到一条顶深的河从岩石上冲下来,野水牛在彩虹里出没,很多的古树被我吹成了碎片!"然后西风跳过去吻了妈妈一下,几乎把她推倒了。他真是个野蛮的孩子!

9. 现在南风到了,他头上裹着一块头巾,身上披着一件游牧人的宽斗篷。北风马上叫了起来:"现在这里真可以烤一只北极熊了!这么热!""你本人就是一只北极熊呀!"南风回敬他说。

10. "我到非洲逛了一圈,我和那些阿拉伯人一起旅行,和南非黑人一起猎狮子。"南风说,"一队商人走过来了,我在他们头上跳舞,把沙子卷起来埋住他们的头,那才是好看呢!"

11. "呸!你就会干坏事!现在我要把你关进袋子里让你再别想调皮!"风妈妈说完,马上把南风拦腰抱住,塞进了一个皮口袋。"要惩罚我的孩子,只能用这个办法!"她对王子说。

12. 最后一个回来的是东风,他看起来真像一个漂亮的中国人。"我在中国皇宫的塔上跳舞,把铃铛弄得叮叮响!那伟大的皇上正在打他的官员,从一品打到九品!"东风说。

13. "你明天到天国花园去吧!你可以受点好的教育,因为我太喜欢你了,实在不忍心自己来教训你!不过你要帮我从智慧泉里带一小瓶水回来。"风妈妈说。

14."这没问题!"东风说,"但你要把我的兄弟放出来才好。他可以讲些凤凰的故事,天国的公主很喜欢听凤凰的故事啊!为此我要送两包茶叶给你,我最甜蜜的妈妈!"

15.风妈妈打开了袋子,南风十分沮丧地爬了出来。"你把这片棕榈叶带给公主吧!"南风说,"凤凰把它100年的经历全写在这叶子上了。"

16. 他们都坐下来吃那只烤好的牡鹿,王子心情十分激动,他问东
风:"你可以带我一起去吗?""这当然可以!只要你现在别老说话,
害得我吃不快!"东风说。

17. 大清早,王子醒来时大吃一惊,他正骑在东风背上飞得很高很
高。"早安!你还可以多睡一会儿,因为下面没什么可看的。"东风
说着,就从一片片田野上掠过。

18. 他飞得比森林里的苍鹰还要迅捷，王子看到骑小马的哥萨克人和喜玛拉雅山下美丽的印度。"我们快到了！"东风说。

19. 他们钻进了一个可怕的洞穴，这洞里一半像冰窖一样寒冷，一半又像炉火一样炎热。"这是死神的道路啊！"王子说。

20. 天国花园到了！一条像空气一样清亮的河里游着金色的鱼，花朵和叶子唱着最优美的歌曲，这里的花藤都像圣经上的插图那么好看，散发着无比甜美的香气。

21. 天国的仙女到来了，她的衣服像太阳似的发着光，她美丽得让人没法直视。她身后有一群美丽的使女，她们每人头上都有一颗亮晶晶的星。东风把棕榈叶交给了她，她的眼睛里射出了最灿烂最快乐的光芒。

22. 仙女带着他们走进一座大厅，这里墙壁是郁金香的颜色，仿佛整个大厅就是一朵最美的花。窗子上印着许多可以活动的彩画，当王子望过去时，画上的人物都唱起歌来。

23. "我们到船上去吧!"仙女挽着王子的手登上了一条最华丽的船。从那清亮的河水中，他们看到地上一个个国家漂了过去，积雪的高山，吹号角的牧人，新大陆的香蕉树和埃及的司芬克斯，都看得一清二楚。

24. "我能不能永远留在这里?"王子问。"你如果不做违禁的事,你就可以住下来。现在,你可以和东风一块儿回去。如果你留下来又违了禁,那你只能陷入一片黑暗中了!"仙女说。

25. "我要住下来!"王子坚决地说。东风在他前额上吻了一下,展开大翅膀飞走了。"你要抵制诱惑,如果有一天你吻了我的嘴唇,那天国花园就会消失的!"仙女说。

26. 仙女把他领到一个摆满透明百合花的大厅,每朵花的花蕊都是一只小小的金色竖琴,它奏出美丽的音乐。许多可爱的姑娘在轻盈地舞蹈,仙女和王子也和着音乐跳起来。

27. 夜晚到了,花朵都发出柔和的金光。"跟我来吧,跟我来吧!"仙女对他招着手说,她的声音比刚才的音乐还要悦耳。

28. "这不是什么诱惑,我只是在追求美和快乐,这不可能是罪过。我只看看她的睡态,我不会吻她的。"王子拨开树枝跟着仙女去了。

29. 她睡着了!美丽的眼泪挂在她睫毛上,"唉!我要吻掉这眼泪,我感到多么大的幸福,这种幸福,一分钟就等于整个永恒!"王子的嘴唇吻了她的眼睛,又吻了她的嘴唇。

30. 这时一个沉重可怕的雷声响起来了,整个天国花园都沉陷了下去,王子周围是无边无际的黑夜。

31. 死神——他顶着一具棺材出现在王子面前:"你要在人间赎罪!在你死时,如果你变得虔诚,我可以再带你到天国花园去!好吧!你慢慢忏悔吧!"

飞 箱

晓 寒 改编
杨文敏 绘画

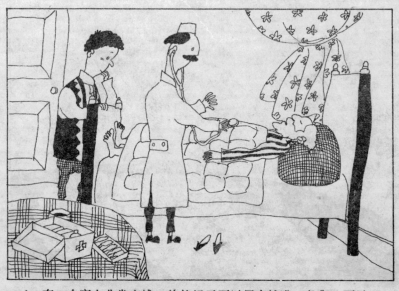

1. 有一个商人非常有钱，他的银元可以用来铺满一条街。不过，他却十分吝啬，他拿出来一块钱，必定要赚回来十块钱才满意。后来，他得了病，钱也买不了性命，他死了。

2. 他的儿子吉姆继承了他的全部财产；他生活得很愉快，每晚去参加化装舞会，用纸币糊风筝玩，用金币在海边玩打水飘的游戏。不久，钱就被他挥霍光了。

3. 吉姆成了个一无所有的穷人，他的一些朋友再也不愿意同他来往了。没办法，他只好到处流浪，最后来到一个森林边。

4. 一位木匠发现了他，说："小伙子，你还年轻，怎么能这样不争气呢！你有力气，看来也不傻，就留下来跟我当徒弟好不好?"

5. 吉姆答应了，他每天早上去森林里伐木，下午跟师傅学着使锯子，刨刨子，在师傅的指导下，很快就学会了做柜子、做椅子。

6. 师傅见吉姆真的变好了，便送给他一只木箱子。这只箱子很有趣，只要轻轻按一下它的锁，就会飞上天去。

7. 这天，吉姆自己坐进箱子，按了一下锁。"呼——"箱子飞起来了，飞过烟囱，飞过云层，越飞越远，一直朝东方飞去。

8. 吉姆有些害怕了，他怕摔下来那可不是好玩的。于是，他又按了一下锁，箱子慢慢往地面降落，最后落进一座华丽的土耳其王宫里。

9. 吉姆悄悄地从窗口爬进公主的房间，公主正躺在沙发上睡觉。她是那么美丽，吉姆忍不住吻了她一下。公主醒了，吃惊地说："你是谁？我叫卫兵来抓住你，杀你的头！"

10. 吉姆知道自己闯了大祸，连忙说："别喊，别喊！我是土耳其的神，是特意从空中飞来看你的！"公主相信了，问他："你会讲故事吗？""那当然！"

11. 这样，他们就挨在一起坐在沙发上了，吉姆望着公主美丽的脸，先讲了一个关于她的眼睛的故事；又讲了一个关于她的前额的故事；最后讲了个鹳鸟送来婴儿的故事。

12. 吉姆的故事使公主听得入了迷，她从心里喜欢吉姆。这时，吉姆大胆地向公主求婚，公主说："我的父母也爱听故事，如果你的故事征服了他们，婚事就好办了！"

13. 吉姆打听到森林里有位老爷爷很会讲故事，便去请教。他把一件新睡衣送给老爷爷，老爷爷让他坐下来，给他讲了不少又有趣又好笑的故事。

14. 吉姆用心地听着，几乎一字不漏地记在心里。回到王宫，他把这些故事讲给国王和王后听，国王和王后听得连饭也忘记吃了

15. 国王听完一个故事，赞叹说："我从来没听过这么有趣的故事，从来没见过这么会讲故事的人。年轻人，你就永远留在王宫里吧！"

16. 这时，吉姆提出了要娶公主作妻子的要求，国王满口答应了。王后征求公主的意见，公主点点头说："我很喜欢吉姆！"

17. 隆重的婚礼在京城里举行了三天三夜，全京城的人都吃上了糖果和点心。小伙子和姑娘们尽情地在广场上、大街上跳舞、唱歌。

18. 吉姆让公主同他一起坐进箱子，他按了一下锁，箱子便在京城上空盘旋、飞翔。人们举着鲜花和彩带，向新郎和新娘表示祝贺。

19. 吉姆和公主降落到地面，大臣们捧着闪闪发光的珍珠和宝石向他们走来。新郎和新娘手挽着手，幸福地微笑着。

20. 吉姆决定把飞箱献给国王，国王命令把飞箱锁进用花岗石做成的仓库里，再派八名卫兵把守仓库的大门，生怕飞箱被人偷了去。

21. 吉姆每天除了吃饭和睡觉，便是给公主讲故事。不久，吉姆的故事讲完了，再也没有新的故事可讲，公主对他冷淡起来。

22. 这天，公主又要吉姆讲故事，说："要讲新的，我可不听那些老掉牙的故事！"吉姆想了半天，说："我们今天换个花样，还是坐飞箱到天上飞吧！"

23. 公主答应了，他们坐进箱子，吉姆把锁按了又按，箱子仍然原地不动。原来，箱子上的锁已经生锈了。

24. 吉姆被赶出了王宫，又成了一个穷人。他只好重新回到师傅那里。师傅听了他的经历，说："光靠嘴巴怎么能得到长久的幸福呢！"

25. 吉姆重又干起了木匠，他的手艺越来越好，来找他的人也越来越多。后来，他做了很多箱子，虽然没有一个会飞，但却很有用。

鹳　鸟

晓　寒　改编
黄祥清　绘画

1. 在一个小城市的一座屋子上，有一个鹳鸟巢。现在，里面坐着的是鹳鸟妈妈和它的四个孩子——这些小鹳鸟，它们的嘴是黑黑的，还没有变红。

2. 鹳鸟爸爸呢？它在屋脊上单腿站着，像一位站岗的士兵。它站得那么直那么辛苦，因为做父亲总得表现出责任感来！

3. 街上，一群小孩子正在玩耍。他们看到鹳鸟时，一个最大胆的孩子就唱起一支儿歌来："四只小鹳鸟，不是被吊死，就是被烧死！"

4. 不一会儿，别的孩子也跟着唱起来。只有一个叫彼得的孩子说："讥笑动物多不应该啊！咱们别唱了！"可是谁都不理会他。

5. 小鹳鸟们非常难过，妈妈安慰它们说："你们不要理他们，什么事儿也不会有的！""可我们还是怕呀！"小鹳鸟一起缩着头说。

6. 第二天，孩子们又来唱儿歌了。鹳鸟妈妈对它的小宝贝说："来，我们不理他们，我教你们学飞吧！"

7. "等到冬天来的时候，这些孩子们都缩在又冷又黑的屋子里时，"鹳鸟妈妈接着说，"我们就飞到埃及去了，那里有太阳照着的金字塔，还有那么多美味的青蛙！"

8. 鹳鸟妈妈把它的四个孩子带到屋脊上，这些小鹳鸟走得多么不稳啊，它们不得不张开翅膀来保持平衡！

9. 它们飞得就更糟了，一起飞，四只小鹳鸟全部"砰"地落了下来。不过，鹳鸟妈妈却在一旁鼓励孩子们说："孩子们，别怕，就这样……好！就这样！"

10. 飞了好几天之后，瞧，现在它们飞得多棒！它们在孩子们头上盘旋着，孩子们还在下面唱："一只被吊死，一只被烧死……"

11. "我们要报复他们，我们要啄他们的眼睛！"小鹳鸟说。"不！你们得好好准备飞行，我们在去埃及前，鹳鸟将军要检阅我们！"妈妈说。

12. 秋天真的来了，所有的鹳鸟都集合在一起，将军对它们进行
了大检阅。那四只小鹳鸟都得到了最好的评分。

13. "现在我们要报仇了！"小鹳鸟们说。"对，让我们想个好办法！"
鹳鸟妈妈就开始想了，最后，她想到了一个绝妙的主意。

14. 鹳鸟们一起飞到一个水池边，水池里睡着许多婴孩——这就是那些没有出世的孩子，他们在这里做着梦，等着鹳鸟把他们送到人们家里去。

15. 鹳鸟妈妈和她的孩子们把婴孩驮在背上，给那些没有唱歌的孩子一个人送去了一个小弟弟或是小妹妹，而那些唱歌的孩子，却什么也没有。

16. 池子里还有一个死了的孩子，小鹳鸟就把他给了领头讥笑它们的坏孩子，现在他得到一个死了的小弟弟，他伤心得大哭起来。

17. 善良的小彼得有了一个最漂亮的小妹妹，而且，鹳鸟妈妈还对小鹳鸟们说："你们都叫彼得吧！因为这是一个好孩子的名字！"于是直到现在，这些小鹳鸟都还叫彼得。

铜　猪

晓　寒　改编
周　翔　绘画

1. 在佛洛伦萨城里，有一只铜铸的猪。因为年代太久，已经变成了墨绿色。从它的嘴里，一股清亮的泉水日夜不停地喷流着。

2. 这是一个冬天的晚上，意大利的月光明媚地照着——这月光比北方的太阳还美丽呢！街那边走过来一个衣衫褴褛的孩子，他就像意大利这个国家一样美丽，满脸欢笑，却又那么贫困。

3. 他来到铜猪塑像那儿，抱住它的脖子，喝了一大口水，这就算是他的晚餐啦！然后，孩子爬到铜猪背上，把他卷发的脑袋亲热地贴着铜猪的头。他听到铜猪说："骑稳了，我要跑了。"

4. 铜猪真的跑起来了！他们先来到了大公爵广场，广场上的铜马开始嘶叫，米开朗基罗雕的人像也一边挥动武器，一边呐喊。

5. 他们又来到了美术馆，长长的画廊里挂满了画，从那些画上放出光来，把四周照得像白天一样明亮，像贵族们在这里过狂欢节时一样富丽堂皇。

6. 这儿站着一个可爱的塑像——她站在海豚身上，正从美丽的泡沫里升起，她就是维纳斯女神。女神的两边是随时准备为她而战斗的勇士们。

7. 孩子看到女神活了！她美丽的身姿在变幻，他闻到了女神身上海水的芳香，听到了她呼吸的声音，而女神闪闪发光的眼睛放射着永恒的光芒。

8. 不一会儿，孩子发现从那些圣像上发出的荣光更加辉煌更加神圣。圣母、基督和圣徒们身上的光轮使这些画几乎变成了神本身。他们脸上放出生气勃勃的容光，身体微微地动着。

9. 不过，孩子最喜欢看到的是那幅画——一群即将成为天使的小孩们簇拥着基督，这是多么美的一幅画啊！孩子一直向这些天使挥着手，直到铜猪带他走出了大门。

10. "只有一个天真的孩子骑在我背上，我才有力量跑动！"铜猪
这样说道。然后，他们以飞一样的速度跑过佛洛伦萨的街道，一
直来到大教堂前。

11. 教堂的门自动打开了，刻着花纹的基碑闪闪发光，这些碑上
刻的是伽利略、但丁、马基雅弗利……他们就是意大利的光荣！

12. 在黑夜的歌声和音乐中，天空里出现了一群光辉的孩子，他们穿着白衣，挥动着金制的香炉，到处都充满了节日的香气……

13. 一夜就这样过去了，孩子早上醒来，他仍然坐在铜猪背上，而铜猪也像往常一样默默站在广场上。孩子肚子饿得咕咕叫了起来，他跳下铜猪，往热闹的大街上走去。

14. 这个无家可归的孩子又在街上游荡起来，直到他走累了，躺在街旁睡着了。"嗨，你病了吗？孩子，回家去吧！"一位好心的市民叫醒他说。

15. "我没有家。"孩子说。"那你愿意跟我回去吗？我教你缝手套吧！"那人又说。于是，孩子就成了这位手套匠人的学徒。

16. 孩子有一双灵巧的手，很快就学会了缝各式各样的手套。一天，他们相邻的房子搬来了一位画家，孩子好奇地跟着他，帮他拎行李和颜料匣。

17. 画家出外画画的时候，孩子也跟他一起来到了美术馆。啊，这不就是铜猪带他来过的地方吗？那维纳斯、兵士，还有圣母和天使们都在向他微笑。

235

18. 画家坐了下来，他几笔就勾出了人物的轮廓，然后涂上颜色，一个美丽的天使就出现在画布上了。

19. 孩子的心被画家紧紧地吸引住了，缝手套时再也没法专心工作，针老是扎着他的手指。"如果一个人能画画，多么好啊！"他想。

20. 第二天，他试着画了一只铜猪——这是他最好的朋友。可这铜猪画得多糟啊！孩子没有气馁，他又画了第二只、第三只……

21. 现在他画的铜猪已经很像了，于是，他开始画别的东西。佛洛伦萨城简直就像一本大画册，美丽的景色真是太多了！

22. 一天，孩子看到了老板娘的小狗，他想给这小狗画张像，可是小狗老是跳来跳去，孩子只有用绳子把小狗绑了起来，这下可好画多了。

23. "你这恶毒的小鬼！"老板娘正好回来了，她一把推开孩子，骂他是个又忘恩负义又坏心眼儿的孩子。"我可怜的小狗！"老板娘一边哭一边吻那只小狗说。

24. 这时，画家走上楼来，他看到了屋里的情景——老板娘在大哭大骂，孩子惊恐地站在墙角，手里拿着一张没画完的画……

25. 十几年后，佛洛伦萨城举行了一次画展，画家是一位年轻人，他曾是手套匠的学徒，就在他要被赶出去时，一位画家发现了他的天才，开始教他学画。

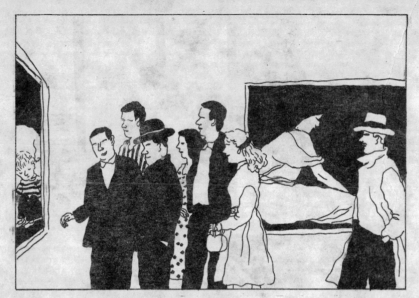

26. 瞧这幅画吧！人们正在对它赞不绝口——一个美丽的孩子，他靠着铜猪的塑像，一道从天上来的光照着他熟睡的小脸
……

27. 在画的下面，有一只月桂树叶编的花冠——这是一个艺术家能得到的最高荣誉！这个小手套匠学徒终于成了画家。在意大利发生的故事总会有个好结局的！

永恒的友情

晓 寒 改编
郭运娟 绘画

1. 我们住的房子是泥糊的，不过门柱是美丽的大理石，屋顶是用
从山上采来的开着花的橄榄树枝和新鲜的桂树枝编的，这使家里
一年四季都溢满春天的香气。

2. 我们住在帕那索斯山脚下，靠近伟大的阿波罗的神庙。从山上，
   一股溪水流淌下来，溪水是那样湍急，那样清澈，那样神圣！

3. 当时，统治希腊的是土耳其人。母亲在没有外人的时候，会给
   我唱一首歌："他们杀死了孩子，又杀死了母亲，眼泪啊，红色的，
   绿色的，淡蓝色的眼泪啊……"

4. 我就挥着拳头说："杀掉土耳其人！"一天，我正这样说着，父亲回来了。他带回来了一个小女孩，"她的父母都被土耳其人杀了！"父亲说。

5. 小女孩长得那么可爱，她黑色的头发上系着三枚银币，"她现在是你的小妹妹了，"父亲说，"她叫安娜达西亚！"

6. 我是多么喜欢我这个妹妹啊！我送她鸟的羽毛和鲜花，和她头挨头地睡在桂树枝下，一起听母亲唱那首红眼泪绿眼泪和淡蓝色眼泪的歌。

7. 一天，三个德国人来了，他们是来攀登著名的帕那索斯山的。他们给我和安娜达西亚画了一张像，"你们俩长得多像啊！"他们都这样说。

8. 又过了几天，一群拿着枪的人来到了我们家，母亲说他们是勇敢的阿尔巴尼亚人。她取下妹妹头上的一枚银币，买酒来招待他们。

9. 一天，他们和父亲一起上山了，我们听到一阵激烈的枪响后，土耳其人来把我们抓走了。路上，我们看见了阿尔巴尼亚人的尸体和父亲的尸体，都大哭起来。

10. 我们在监牢里住了很久。当我们被释放时,已经是复活节了。教堂里安琪儿的画像闪闪发光,一口棺材里放满了花瓣,"耶稣基督作为花儿躺在那里面。"母亲说。

11. 我和小安娜达西亚一人拿着一支点燃的蜡烛和大家一起说:"耶稣升起来了!"这时,我旁边一个男孩搂住我吻了我一下说:"耶稣升天了!"

12. 我在这里认识了亚夫旦尼斯，他是一个驾船的好手。我们在这儿住下后，常常跟着他一块儿出海，遥望故乡的帕那索斯山——那积雪的山顶正在夕照中发光。

13. 一天，安娜达西亚不小心滑进了水里，亚夫旦尼斯敏捷地跳下去，把她托了上来。我们一边晾着衣服，一边都暗自为安娜达西亚担心。

14. 夏天来了！母亲带着我们回到有着清凉的群山和泉水的故乡。
我们白天在高高的百里香丛中走着，夜里我和安娜达西亚在叶子
的清香里数着星星。

15. 我们的茅屋已经成了一片废墟。邻居们帮我们砌好了新的墙，
用夹竹桃枝子编成新屋顶。我们又有了一个家，这个家虽然贫穷，
但却充满着温馨。

16. 慢慢地，我和安娜达西亚都长大了。她现在是一个美丽的姑娘！而亚夫旦尼斯呢，他捎信来说他要到船上当水手去了。

17. 一天晚上，亚夫旦尼斯回来了。他像芦苇一样顽长，脸庞棕黑，他给我们讲了那么多的故事：马耳他、非洲，金字塔……最后，亚夫旦尼斯说："我们结拜兄弟吧！"

18. 第二天，我们来到山上的教堂里。安娜达西亚穿着白色的长袍，她是我们结拜的证人。她把我们的手合在一起，在我们额上吻了一下，默默祈祷着。

19. 这天晚上，我和亚夫旦尼斯亲密地拥抱着，在希腊蓝色的群星下谈着我们未来的生活、祖国的命运和崇拜的英雄。

20. "亚夫旦尼斯，我还要告诉你一个秘密，我爱上了一个姑娘！"
我说完脸就红了，亚夫旦尼斯脸也红了。"她是安娜达西亚？"亚
夫旦尼斯问道。我点点头说："对！"

21. 亚夫旦尼斯的脸马上变得像死尸一样惨白。"我不骗你，我也
爱她，但她是你的！明天我就要走了，好好爱她吧！"他说。

22. 回家的路上，我们一句话也没说。一到家，安娜达西亚迎上来，亚夫旦尼斯马上握住她的手说："我的兄弟爱你，你也爱他吗？他的沉默是他爱情的明证！"

23. 安娜达西亚放声大哭，扑进了我怀里，"是的，我爱你！"她手中的提灯打碎在地上，四周一片漆黑，就像可怜的亚夫旦尼斯的心一样。

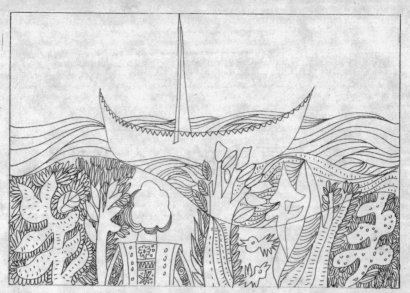

24. 亚夫旦尼斯要走了，他把大家都吻了一下，穿过那有百里香的群山向远方走去——去到他的海和他装饰着金星的船上去了。

25. 几天以后，我和安娜达西亚举行了婚礼。那一天早上太阳像一块金币那么美丽，村子里到处是橄榄的香味。当我们沉浸在甜蜜中的时候，我们都没忘记亚夫旦尼斯——一个真正的朋友。

荷马墓上的一朵玫瑰

平 力 改编

孙泽良 孙 轶 绘画

1. 东方所有的歌曲都歌颂着夜莺对玫瑰花的爱情。在星星闪耀的
静夜里，这有着翅膀的歌手总在为他芬芳的花儿唱一支情歌。

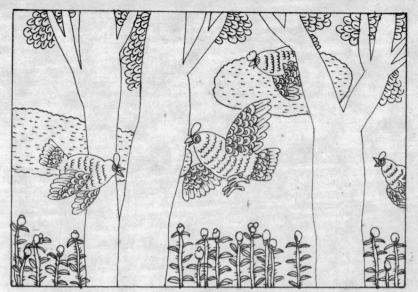

2. 离土耳其美丽港口士麦那不远，珍珠般羽毛的野鸽在树丛间飞舞，那里有一道玫瑰枝结成的芳香的篱笆。

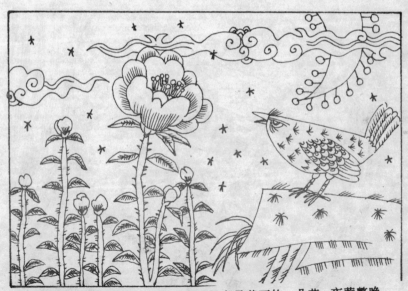

3. 玫瑰树篱笆上有一朵花，是世界上最美丽的一朵花。夜莺整晚地对它歌唱，但这朵玫瑰一滴眼泪也没有，它只对着一块墓石垂下枝子。

4. "这里躺着世界上最伟大的歌手！我在他的墓上散发香气，暴风雨来了我要凋落在掩埋他的尘土里。我是荷马墓上的一朵玫瑰，我不能为一只平庸的夜莺开出花来。"

5. 夜莺一直歌唱到死。赶骆驼的商人带着牲口来了，他的小儿子看到这只死鸟，把它埋在伟大的荷马的墓里。

6. 在温暖的亚洲，太阳一天比一天美丽，这朵玫瑰在荷马墓上闪闪发亮，就连它的刺看起来也像花儿一样可爱！

7. 这天，一群欧洲人来参拜荷马的墓，一个来自瑞典的诗人摘下了这朵玫瑰，把它带到了云块和北极光的故乡。

8. 现在，他把花儿夹进了荷马的《伊里亚特》里，在那一页的插
图上，英俊的阿咯琉斯正在发怒……

9. 这朵玫瑰仿佛做梦一般，听到来来往往的风翻开这本书时说：
"这是荷马墓上的一朵玫瑰。"

梦　神

平　力　改编
王肖生　王　皓　绘画

1. 吃过晚饭之后，梦神奥列·路却埃就来到了孩子们的房间里。
他往他们眼睛里喷了一点儿甜蜜的牛奶，孩子就没法张开眼睛了。

2. 奥列·路却埃有两把伞，一把画着美丽的图画。他把这把伞撑
在那些好孩子头上，让他们做着好梦。另一把什么也没画的伞撑
在坏孩子头上，他们就什么也梦不着。

3. 这一次，奥列·路却埃来看一个叫哈尔马的孩子，对他讲了一
个星期的故事。

4. 星期一晚上，奥列·路却埃把花盆里的花儿都变成了大树，长长的树枝沿着墙伸展开来，枝上开满了芬芳的花朵。

5. 桌子上的水果也放出光，面包张开口，露出里面的葡萄干。这真是一幅美丽的景象！可就在这时，书桌里传出了一阵哭声。

6. 奥列·路却埃拉开抽屉，发现原来是哈尔马的作业本在哭，里面的错误实在是太多了！

7. 字母在簿子上东倒西歪，"你们得吃点药才行呢！"奥列·路却埃说。"啊！我们身体不太好。"字母们齐声说。

8."今晚我们不能讲故事了,我要操练一下这些字母!"奥列·路却埃就喊起口令来:"一二!一二!"字母们现在都站直了,瞧,它们走得多整齐。

9.早晨哈尔马起来看它们时,发现它们依然歪歪扭扭,愁眉苦脸。

10. 星期二晚上，奥列·路却埃往家具身上喷了一口有魔力的牛奶，家具们都开始谈论起自己多么漂亮、多么有知识……只有痰盂默默地谦虚地站在墙角。

11. 衣柜顶上有一幅嵌在金框里的图画，画里有很高的古树，两旁是大树林的一条河和被草丛包围着的湖，这条河流过许多宫殿，一直流向大洋。

12. 奥列·路却埃往这画上也喷了一口牛奶，于是，树叶都动起来，鸟儿开始唱歌，大片大片的云在飞行时把影子投进人们的眼睛。

13. 奥列·路却埃把小哈尔马抱进了画里，他们站在高高的草里，太阳穿过树枝照到他们身上。

14. 哈尔马跑到湖边，坐上一条小船，船的帆发着银闪闪的光。六只头戴金冠、额上戴着一颗蓝星的天鹅，拖着这条船沿着青翠的森林向前漂去。

15. 沿岸的树对哈尔马讲强盗和巫婆的故事；花儿们则讲着山精水怪的故事。许多彩色的鸟儿排成长长的两行，像飘带一样在船后飞舞。

16. 森林里出现了一座用玻璃和大理石砌成的宫殿，阳台上立着好几位公主，她们手里托着那些糖果店里最美丽的糖猪——但这些公主长得多么像哈尔马的女同学啊！

17. 每个宫殿门口都有一些小小的王子在站岗，他们背着金刀，向哈尔马撒下许多葡萄干和锡兵。他们真不愧被称为王子！

18. 哈尔马张帆航行，来到了他从前的保姆住的那座城市。保姆站在一座白房子的阳台上，向他点头微笑。

19. 这时，树上的鸟儿都一同唱起来，花儿在绿色的梗子上跳着舞，许多披着阳光的老树也互相招起手……

20. 星期三下雨了，当奥列·路却埃把窗子推开时，窗外成了一面大湖，还有一条漂亮的船停在屋子旁边呢！

21. 哈尔马穿上他星期日穿的漂亮衣服，踏上船之后，天马上就晴了。他们沿着积满水的街道，绕过教堂和钟塔，一直驶进了无边无际的大海。

22. 海面上飞过了一群鹳鸟，它们要朝着太阳飞到埃及去。有一只鹳鸟太累了，它慢慢地拍着翅膀，越飞越低，终于降落在船甲板上。

23. 水手们捉住了它，把它放在鸡、鸭和吐绶鸡的笼子里。这只鹳鸟显得多么高、多么漂亮、可也多么垂头丧气啊！

24. "瞧！这是个傻瓜！"吐绶鸡说。鸭子们都哄笑起来。"它大概自以为很了不起吧！"这些家禽哈哈大笑，都以为这些话多么幽默。只有鹳鸟一声不响，怀念着它的非洲。

25. 哈尔马走过来了，家禽们马上安静下来。鹳鸟向他点点头，表示它已经休息好了。然后它展开双翼，向温暖的国度飞去。

26. 鸭子们和吐绶鸡还在嘀咕着嘲笑那只远飞的鹳鸟，"明天我要把你们都拿来烧汤喝！"哈尔马说。

27. 星期四这天晚上，奥列·路却埃来的时候手上托着一只可爱的小耗子。"今晚我们要去你妈妈的厨房地下参加一个婚礼。"奥列·路却埃说。

28. 他在哈尔马身上喷了一口牛奶，哈尔马就变得像一只指头那么大了。哈尔马穿上了锡兵的制服，坐在一只顶针上，由小耗子拉着他走，这真是一辆奇妙的马车呢！

29. 他们来到了一条长长的通道里，通道的两旁油光锃亮，"啊！瞧这儿，多美！"小耗子说："两边的墙都是用腊肉皮擦过的呢！"

30. 现在，他们到了举行婚礼的大厅，大厅里挤满了穿着礼服的耗子先生和叽叽喳喳的耗子太太。最后，新郎和新娘出来了，当然，它们是打扮得最漂亮的一对耗子。

31. 新婚夫妇互相吻着，它们这就算是正式结婚了！然后，它们请客人们吃腊肉皮，还端出一粒豌豆作点心。

32. 所有的客人都吃得心满意足，夸奖这次婚礼实在是太漂亮了。
宴会结束后，哈尔马又坐着那只顶针回到他的房间里。

33. 今天是星期五，奥列·路却埃带哈尔马去参加了另一个婚礼。
这次是两个玩偶——赫尔曼和贝尔达的婚礼。

34. 桌子上有一座纸做的房子，这就是举行婚礼的地方了。锡兵们在敬礼。奥列·路却埃穿着祖母的黑裙子主持婚礼后，所有的家具都唱起歌来。

35. 赫尔曼和贝尔达准备去度蜜月了，燕子说："你们到国外去吧！那里熟了的葡萄一串串地挂着，山岳都发出永远不灭的光辉。"

36. "可那儿没有我们这儿的油菜呀!"一只老母鸡说。"在乡下,我们门口有一个沙坑,还有一大片青翠的油菜,我想不出有什么地方比这里更美的!"

37. "这儿天气这么坏,太冷了!"燕子说。"可这对油菜非常好呀!"老母鸡说,"而且这儿没有蛇、没有强盗,谁不承认我们祖国最美丽,他就是个恶棍!"

38. "是啊！老母鸡是多么有理智啊！"新娘贝尔达说，"上山旅行无非是爬上去又爬下来罢了。我们还是到沙坑边坐坐，在油菜田中散散步吧！"

39. 第二天，哈尔马上床后又要奥列·路却埃讲个故事。"今天没时间了！我给你看几个中国人吧！"奥列·路却埃撑开一把雨伞，雨伞上画着拱桥，还有小巧的中国人在点头。

40. "今天我得做个大扫除。我得让小精灵们擦教堂的钟和田野上的花朵，还要把天上的星星洗亮，我必须记下星星的号码，不然放错了就会变成流星的。"梦神说。

41. "您不能这样教育孩子！"墙上的一幅画像说，"我是哈尔马的曾祖父。您应该知道星星不可以摘下来擦洗的，它们都是些巨大的球体。"

42. "老曾祖父，"奥列·路却埃说，"事实上我比您还老，我在希腊时代就在给孩子们这样讲故事了。不过，再见吧！"梦神就拿着他的雨伞出去了。

43. 星期日晚上，哈尔马早早就把曾祖父的像翻过去对着墙，免得他又来插嘴。然后，哈尔马请奥列·路却埃再讲一个故事。

44. "你看，"奥列·路却埃把哈尔马抱到窗前，指着外面一个骑马飞驰的人说，"那是我弟弟，他也叫奥列·路却埃，不过别人称他做死神！"

45. 死神穿着一件黑斗篷，他把年轻人和老人抱到他的马上，翻开他们的通知簿，那些有好评语的人就坐在前面，听一个好故事；另一些有坏评语的人坐在后面，听可怕的故事。

46. "瞧，你只要有一个好评语，就可以听美丽的故事了！"奥列·路却埃对哈尔马说。"这还像个话，总算有点教育意义了！"曾祖父的画像又嘀咕起来。

47. 这就是奥列·路却埃给哈尔马讲的一个星期的故事，也许今晚他就要上你那儿了！对了，最后我可以告诉你，奥列·路却埃的丹麦文意思是——闭上眼睛！

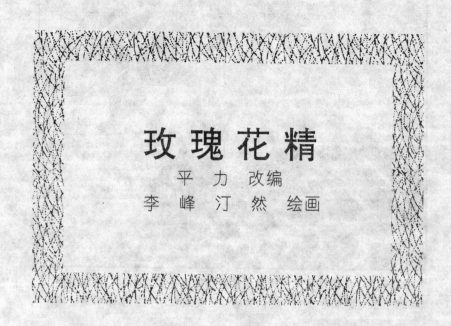

玫 瑰 花 精

平 力 改编

李 峰 汀 然 绘画

1. 现在，花园里正开满了玫瑰花。最美丽的那朵花里，住着一个小小的花精。他像一个漂亮的孩子，但他背上生着一对透明的翅膀，一直垂到他芳香的脚跟。

2. 一天，花精从他又温暖又柔软的花瓣房子里走出来，在菩提树的叶脉上走来走去——他认为这就是大路和小路。不知不觉就玩到太阳落山了。

3. 所有的玫瑰都把花合上了，花精没办法回到花瓣里去睡觉了。风在吹着，露水是那么的凉，小小的花精害怕起来，他从没有在外面宿过夜啊！

4. 这时，花精看到了两个年轻人，他们是多么漂亮的一对恋人呢！
"我会很快就办完你哥哥交给我的事的，"年轻人说，"那时我就马
上回来娶你！"

5. 姑娘哭了起来，摘下了一朵玫瑰。她那么热烈的吻着那花儿，
花儿就自动地张开了。小花精赶快飞进去，把他的头靠着那些柔
软的花瓣。

6. 姑娘把花儿送给了年轻人，"再会吧，再会吧！"他们这样说着。年轻人把这朵玫瑰放在胸口上，他的心跳得那样厉害，弄得小花精也心跳起来。

7. 年轻人走过一片阴暗的森林时，他不停地吻着花儿，吻得那么真诚，小小的花精快要给挤死了。这时花儿开得这样大，就像在中午的阳光下一样。

8. 一个阴险毒辣的人跟着也来了，他就是姑娘的坏哥哥。他抽出一把又长又快的刀，把年轻人的头砍了下来，同尸体一起埋在一棵菩提树下。

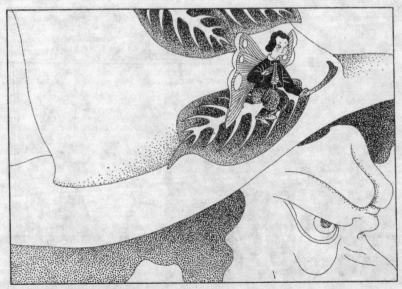

9. 坏人得意洋洋的回到家，以为谁也不知道这件事。但是，小花精却看到了这一切，他又生气又害怕，飞到坏哥哥帽子上的一片落叶上，和他一起回到家里。

287

10. 哥哥看到妹妹睡梦中甜蜜的微笑，发出一阵恶魔才有的笑声。这时，树叶落到了姑娘的床单上。小花精飞到她耳边，把那件可怕的事原原本本地告诉了她。

11. "相信我吧！你可以在床上找到一片干叶子做证！"花精说。姑娘果然找到了这片叶子。唉，她流了多少眼泪啊！小花精不忍心离开她，就坐在窗台上望着这个可怜的姑娘。

12. 黑夜一到，姑娘趁哥哥不注意，偷偷离开房子，来到树林里挖出了心上人的尸首。唉，她哭得那么伤心，不断地祈求上帝让她自己也死掉。

13. 姑娘把那个冰冷的头颅捧了出来，在他苍白的嘴唇上吻了一下，"我要带你回去！"她说。然后，她把那尸体埋好，带着这死者的头回到家来。

14. 她把那心爱的头颅埋在了一个大花盆里，插上了一枝索馨花的枝子。"再会吧，再会吧。"花精再不能把这种悲哀的场面看下去了，他拍拍翅膀，飞了出去。

15. 每天早晨，花精都可以看到姑娘对着花盆落泪。她一天比一天憔悴，索馨花却一天比一天新鲜，还长出了许多美丽的花苞。

16. 一天，姑娘伏在花盆边睡着了，花精就在她耳边讲一些花精
们的美丽故事，同时散发出甜蜜的玫瑰花的香气。这姑娘就在美
梦中死去了。她的灵魂飞到了天上，和她的心上人在一起。

17. 恶毒的哥哥看到妹妹死了，以为她的东西都该归他了，就把
素馨花盆搬到他自己屋子里。但他不知道，每一朵雪白的素馨花
后面，都有一个准备复仇的灵魂。

18. 玫瑰花精虽然是那么善良，那么纯洁，但他看到这对年轻人的死也愤怒了。他把这件事告诉了蜜蜂们，蜂王就下令让蜜蜂们第二天去蜇死那杀人犯。

19. 第二天，花精和蜜蜂飞进房间时，一大群人围着坏哥哥的床，他已经死了。人们说："他是被花香醉死的。"而花精听到素馨花们说："是我们用毒剑杀了他，是我们。"

20. 玫瑰花精把这件事告诉了蜂王。她带着蜜蜂们绕着花嗡嗡飞舞，怎么也驱不散。当一个人要把花盆搬走时，她在这人手上叮了一下，花盆打碎了，一个白色的头颅现了出来。

21. 现在人们都知道死者是个杀人凶手了。蜂王在空中唱着歌，歌唱复仇的花儿和那最细小最娇嫩却敢于揭发罪恶的花精。

猪 倌

平 力 改编
黎 焱 绘画

1. 从前有一位小国的王子，他虽然到了结婚的年龄，可没有一位
公主愿意嫁给他。大臣们着急地说："怎么办吗？总该想个办法才
行啊！"

2. 邻国是一个大国，公主长得很美丽，但她也很骄傲。勇敢的王子决定向公主求婚。临行前，他来到了父亲的墓上："亲爱的父王，请保佑我一切顺利吧！"

3. 这位王子父亲的墓上长着一棵很美丽的玫瑰。它五年才开一次花，而且每次只开一朵。无论谁闻到了花香，就会忘掉一切忧愁和烦恼。王子摘下这朵花，放进一个大银匣子里。

4. 王子又来到王宫后的森林里，捉到一只夜莺，这只夜莺会唱世界上最动听的歌儿，谁听了夜莺唱歌都会陶醉。王子将这只夜莺装进另一个大银匣子里。

5. 王子带着两件礼物，化装成一个普通的青年来到邻国向公主求婚。皇帝唤来女儿，一同看青年送来的礼物，公主看见大银匣，拍着手说："我希望那里面是一只小猫！"

6. 银匣打开了，侍女们惊叹说："啊，这朵花开得多么美丽精巧啊！"皇帝也高兴地说："这花不仅美丽精巧，而且还散发着香气呢！"

7. "呸，爸爸！"公主拿起花说，"这花没有什么特别，是一朵普通的玫瑰花！""呸！呸！这花太一般！"宫女们随声附和着。

8. 皇帝要大臣们打开第二个银匣子，一只夜莺从匣子里跳出来，它唱得那么动听，所有的人都惊呆了。因为他们从来没听到过这么美妙的鸟鸣。

9. "太美了！太动听了！"侍女们拍着手，齐声称赞着。"啊，这鸟儿的唱法比八音盒还要好听一万倍！"一位老臣说。

10. 皇帝为了使女儿高兴，问道："女儿，你觉得如何？"公主撇撇嘴说："一只寻常的小鸟，有什么稀奇！""对，这小鸟一点儿也不稀奇！"侍女们也跟着起哄。

11. 王子并没有失望，过了几天，他又来到王宫求见皇帝。他求皇帝给他安排一份工作，皇帝说："皇宫里正缺一个牧猪人，你去干好了！"

12. 王子当上了牧猪人，他在猪棚旁一个简陋的小屋里住了下来。他每天一早把猪赶到饲养场里去吃草，晚上又把它们赶回猪圈，干得挺起劲儿。

13. 王子有一只神奇的小锅，边上挂着许多铃，当水烧开了时，这些铃就会发出美妙的歌声："啊，我亲爱的奥古斯丁，一切都完了，完了，完了！"

14. 一天，公主恰恰跟她的侍女们从这儿走过。当她听到这个歌声的时候，她显得非常高兴，很想去看看这个宝贝。

15. 公主在侍女的倍伴下来到猪棚前，侍女向牧猪人说明了来意。
王子说："公主要看我的宝贝，除非她让我吻 10 下才行！"

16. "我是公主，怎么能和牧猪人接吻？"但是，公主的好奇心终于占了上风，她答应了牧猪人的要求："不过，你不准用劲，只能轻轻地吻！"

17. 公主用10个吻换来了一口宝贝锅，她十分高兴地抱起锅回王宫去了。谁知几天后牧猪人又做出了一个会唱歌的玩具来了。

18. 只要把玩具旋转一下，它就会奏出"圆舞曲"、"快步舞曲"和"波兰舞曲"来。侍女们看到这个玩具，连忙又去报告公主。公主说："问问他，可以送给我吗？"

19. 侍女见到牧猪人，得到的回答是："我要公主的100个吻！"公主听到报告说："这人是疯了吧！告诉他，我只能给他10个吻，其余的90个由侍女代替。"

20. 侍女又来见牧猪人，说："公主只给你 10 个吻，其余的 90 个由我们代替，你干不干？"牧猪人摆摆手说："100 个吻，少一个也不干！"

21. 公主的好奇心又占了上风，她太想得到那个神奇的玩具了，只好答应下来。她想了一个主意，接吻时要侍女们围成一个圈，以免被人看见。

22. 接吻开始了，为了达到公平交易，侍女们1、2、3、4地认真数着接吻的次数，生怕牧猪人多吻一个，这样公主才不至于吃亏呀！

23. 皇帝在阳台上散步，看见猪圈里围着一群人，非常惊奇，连忙戴上眼镜，拉着皇后去看热闹："快，猪圈里一定有好玩的事情，快去看看！"

24. 当接吻进行到第86个的时候，皇帝和皇后赶到了。他们从侍女人缝里看见公主正抱着牧猪人接吻，气得差点儿昏了过去。

25. "这还成什么体统，简直是伤风败俗！"皇帝气得暴跳如雷。皇后也哭着说："唉！这事传出去，我的脸面……唉！呜呜！"

26. 牧猪人和公主被一同赶出了王宫，天下着雨，公主哭着对牧猪人说："现在我只好答应嫁给你了！我是多么不幸啊！"

27. 牧猪人（不，现在应当称王子）走到一株大树后面，脱去身上的破烂衣服，穿上一身王子的服装，又走了出来，他是那么好看，连公主也不得不在他面前弯下腰来。

28. 王子说："你太骄傲了，我是不可能娶你做妻子的。一个老老实实的王子你不嫁，玫瑰花、夜莺你不欣赏，但为了一个玩具，你却和一个猪倌接吻，你连一个平民的姑娘都不如！"

29. 王子说完，头也不回地朝他的王国走去。骄傲的公主孤单的站在雨水里，她哭着说："我亲爱的奥古斯丁，一切都完了，完了！"

荞　麦

平　力　改编
谢晓虹　绘画

1. 在田的旁边，有一棵很老的柳树。它的身体向前弯着，美丽的
枝条一直垂到地上，像长长的绿头发一样。

2. 周围的田里长着裸麦和大麦，也有可爱的燕麦。当它成熟了的时候，看起来就像许多落在柔软枝条上的金丝鸟。虽然这燕麦那么饱满，但它总低着头，虔诚而谦卑地朝向大地。

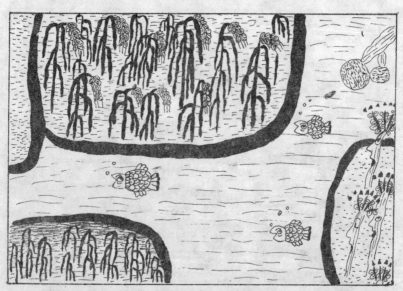

3. 另外有一块田，里面长满了荞麦，它总喜欢摆出一副骄傲的样子。"作为一根穗子，我真是少有的丰满，而且我的花就像苹果花一样美丽！"

4. 这时，一阵可怕的暴雨到来了，田野上所有的花儿都把头垂了下来。"像我们一样把头低下来呀！"它们对高昂着头的荞麦说。"我不愿意！"荞麦说。

5. "暴风雨的安琪儿来了！"麦子大声说。"他的翅膀从云块上直伸到了地面，他会把你砍成两半的，快低下头吧！""是吗？可我不喜欢这样！"荞麦说。

6. 老柳树也开口了："垂下你的叶子，不要去望那云块间的闪电，它会烧瞎你的眼睛的！""你这个老傻瓜，我倒要看看闪电能把我怎么样！"荞麦说完，抬起头向天上望去。

7. 暴风雨的安琪儿对狂妄的荞麦十分生气，电光马上掣动着袭向地面，那片荞麦田就像一场大火一样燃烧了起来。

8. 大雨过去之后，花儿和麦子都被雨洗得焕然一新，在沉静和清洁的空气里闪闪发光。只有荞麦被烧得炭一样黑，没有一点用处了。

9. "骄傲自大就会落得这样的结果！"老柳树对麻雀们讲了这个故事之后说。而麻雀们在今天早上，又把这个故事告诉了我。

安 琪 儿

平　力　改编
舒少华　绘画

1. 每当一个好孩子死去的时候，就会有一个上帝的安琪儿飞到世界上来。他张开白色的大翅膀，把孩子抱到天上去。同时他还带走这孩子喜欢的花，让它们也在上帝面前歌唱。

2. 这时，上帝的安琪儿正抱着一个死孩子飞上天去，"我们要摘
   一些你喜欢的花儿，上帝吻了它们，它们就会唱起幸福的颂歌。"
   安琪儿说。

3. 安琪儿就在孩子生前的房子边采下了几朵美丽的花，也摘了几
   朵被人瞧不起的金凤花和野生的蝴蝶花。

4. 安琪儿抱着孩子飞到了城里最狭窄的一条街上。那里路旁全是
破旧的房子和垃圾堆，这一切可不太好看。

5. 安琪儿看到垃圾堆里有几块花盆的碎片和花盆里掉出的一团干
泥块，干泥块上还有一大棵枯萎了的野花。"我们要把这棵花也带
到天上去！"安琪儿说，"这里面有一个故事。"

6. "从前有个病孩子，就住在这座房子的地下室里。他身体太弱，不能起床，而阳光也照不到这黑屋子里来。每当他听到房子外面的鸟鸣时，他是多么想去接受阳光的爱抚啊。

7. "一次，邻居一个小孩给他带来一枝山毛榉的绿枝。病孩子拿着这新鲜的树枝，幻想自己来到了一个山毛榉的树林里，那里温暖的太阳照着树叶，小鸟在愉快地歌唱。

8. "邻居小孩又带给他几棵有花根的野花，他们一起把花种在盆子里。病孩子天天给它浇水，倾听它发芽时那温柔而甜蜜的声音，看着它绿得透明的叶片从枝蔓上长出来。

9. "这棵花开放了，孩子现在有了他自己的花园。对于他来说，这棵瘦弱的可怜的花儿比皇帝的宫殿更美丽。

10. "孩子被上帝召回去时，他最后看到的就是这棵花。现在他在天上已经一整年了，再也没有人照顾这花，我们要带它到天上去，因为它曾给一个病孩子送去了那么多欢乐。"

11. "你怎么会知道这些的呢?"被安琪儿接到天上去的小孩问。"因为我就是那个病孩子呀，我当然认识我的花!"安琪儿回答说。

12. 他们飞到了天上，飞到了和平幸福的天堂。那棵野花被上帝
吻过后，它就唱起歌来，和别的安琪儿一起赞美着上帝。

13. 他们都唱着歌，在云中飞翔，大大小小的快乐善良的孩子们，
还有那棵被扔在垃圾堆上的枯萎了的野花，大家都唱着歌。

夜 莺

平 力 改编
李 峰 卫 瑛 绘画

1. 很久以前，有一个中国皇帝，他住在一座十分豪华的宫殿里。
他的御花园里长着各种珍奇的花草，花草里有一只歌声美妙的夜
莺。

2. 夜莺的歌声吸引了无数的旅游者，他们一个个赞叹不已。旅游者回国后，写了大量的文章来赞美这只夜莺，这些文章传到了皇帝的手里。

3. "真奇怪，我花园里有这个宝贝，可我怎么不知道呢？"皇帝很吃惊。他命令大臣们去找夜莺，可大臣们找了三天三夜，也没有找到夜莺的踪影。

4. 皇帝发火了："你们这些蠢货！找不到那只可爱的鸟儿，我统统杀了你们！"大臣们只得又去寻找，他们碰见了一位女佣人。

5. 女佣人说她知道夜莺在哪里，大臣们像见了救星："快带我们去找吧！"女佣人指指森林，这时，森林里正有一头母牛在叫，一个大臣听了说："啊！这叫声准是夜莺！"

6. 女佣人说："这是母牛，它的叫声不动听！"说完，又指了指水塘。大臣们按照女佣人指的方向，来到水塘边。

7. 一个大臣趴在水塘边说："啊，听啊，这呱呱的叫声准是夜莺！"女佣人说："这是青蛙，它的叫声不美妙！"

8. 树林深处，一只小鸟停在枝头欢快地叫着，女佣人说："夜莺，你愿意去见皇帝吗？"夜莺点点头，大臣们纷纷跪在地上磕头说："神鸟儿，你可救了我们的命啦！"

9. 夜莺被带到皇宫里，皇帝命令在大殿中央竖起一根金柱，让夜莺站在上面。夜莺得到了极大的成功，不仅皇帝喜欢它，连宫女们也不舍得离开它。

10. 京城到处流传着夜莺的故事，有 11 个小贩的孩子都起了"夜莺"这个名字。很多大臣一早就到王宫来，借口是有重要的事情向皇帝报告，其实是想听听夜莺的歌声。

11. 一天，皇帝收到一个包裹，上面写着"夜莺"两个字。打开一看，原来是只人造的夜莺，它浑身镶满钻石，漂亮极了。轻轻上紧发条，它立刻唱出一段真夜莺唱的歌儿。

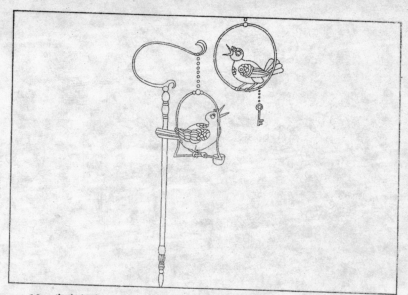

12. 皇帝很高兴，命令把人造夜莺和真夜莺放在一起，让它们比赛。天啊，这下可苦了真夜莺，因为人造夜莺是不知道什么叫累的呀！

13. 当夜，真夜莺便悄悄地从窗子里飞走了，飞到它原来生活的森林里去了。所有的大臣都咒骂这只真夜莺，说它是个忘恩负义的东西。皇帝说："不过，我总算有一只最理想的鸟了。"

14. 皇帝又开始喜爱人造夜莺了，他让它站在床头边，不停地听它唱。他还把金子和宝石赏给它，甚至封它为"高贵皇家夜间歌手"的称号。

15. 一天，人造夜莺的身体里发出一阵"吱吱"的响声，接着，便不再唱歌了。皇帝立即跳下床来，命令找来御医，御医说："陛下，我只会给人治病，不会……"

16. "混蛋，我命令你马上把它治好!"皇帝发火了。可御医摆弄了半天，也没有使夜莺重新唱起歌儿来，皇帝气得把御医赶了出去。

17. 皇帝听不到夜莺的歌声，感到很寂寞。后来，便病倒在床上了。他躺在华丽的大床上，身体冰凉，脸色惨白，他是多么希望再听听夜莺的歌声啊!

18. 月亮照在窗口，这时，一只可爱的小鸟飞来，落在窗外的树枝上，它就是那只飞走了的夜莺。此刻，它欢快地唱着，唱着美丽而又动听的歌儿。

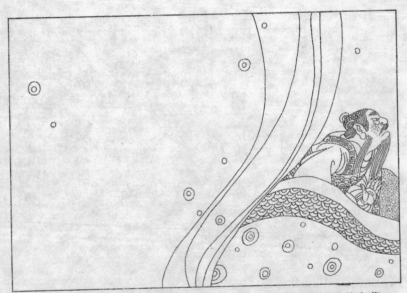

19. 一阵悦耳的歌声把皇帝唤醒了，"啊，这不是我那可爱的夜莺吗？多谢你还记得我，请原谅我的过错吧，我不该那样对你无礼，我不该……"

20. 皇帝的病一下全好了，他对夜莺说："宝鸟儿，请别离开我，好吗？没有夜莺的歌声，我会活不下去的！留下来吧，我的心肝，我的宝贝儿！"

21. 夜莺摇摇头说："不，森林那边很多农夫都喜欢我，他们也等着我唱歌呢！"皇帝有些生气了，他呵斥说："我是皇帝！那些农夫都是我的奴隶，他们听什么歌！"

22. 夜莺说："我的歌是为了让大家快乐，你虽然是皇帝，可你只有一个人呀！"皇帝换了一副笑脸并拿起床头的一把金剑说："你答应我，我把这把金剑赏给你！"

23. 夜莺没说话，拍拍翅膀，头也不回地飞走了，飞到农夫中间去了。皇帝气急败坏地抓起那只人造夜莺，"砰"地一下，把它摔得粉碎。

恋　人

黄　牛　改编

谢丽芳　吴尚学　绘画

1. 小男孩的抽屉里放着一个陀螺和一只皮球。陀螺对球儿说：
"让我们做对恋人好吗？"可是球儿却表现得很骄傲，不可一世地
不屑回答他。

2. 第二天，小男孩把陀螺涂了一层彩色，钉上一枚铜钉，转起来又漂亮又动听。陀螺再次求婚："你能跳，我能舞，我们定婚多幸福!"球儿说："在我跳向天空时，已和燕子相爱了!"

3. 小孩玩着球，陀螺看到她像鸟儿高高飞向天空，跳了几次之后，突然无影无踪。小孩怎么也找不到，陀螺叹息着告诉他："她是飞到燕子窝里，跟燕子结婚去了!"

4. 好几年的光阴过去了。陀螺不再年轻了。男孩在他身上涂了一层金，高兴地抽着，陀螺跳得太高，忽然间也失踪了。

5. 原来陀螺跳进了一个垃圾箱。"我简直落到一批贱民中来了！"正在他抱怨的时候，突然发现一个像蒿苹果一样奇怪的东西。

6. "谢天谢地,总算来了一个有身份的人!"金陀螺认出讲话的正是他初恋的皮球!原来她五年前飞到天上时落到屋顶的水槽里去了,渍水和时间改变了她年轻时的美貌。

7. 这时一个小姑娘来倒垃圾,发现了金陀螺,将他拿回屋子。他再也不提他的"旧恋"了,因为当皮球搁在水槽里的时候,爱情在时间中已经消逝了。

336

丑 小 鸭

新 园 改编
王海鸥 绘画

1. 这是一个美丽的夏天，小麦金黄金黄，燕麦油绿油绿。太阳光照着一幢老式的房子，一条小溪从房子旁边流过，森林边有一口很深的池塘。

2. 池塘里，牛蒡长得很高，在牛蒡那阔大的叶子下，鸭妈妈正坐在巢里，孵它的几个蛋儿。她虽然已经很累了，但仍然耐心地孵着。

3. 蛋儿一个个裂开了，所有的蛋黄都变成了毛绒绒的小鸭子。他们从蛋壳里钻出来，啊，这个世界多么大！多么美呀！

4. 一只顶大的蛋老没有动静，母鸭说："他老是不裂开，我只有在他上面多坐一会儿了！"最后，这只大蛋终于裂开了，从里边钻出一只又大又丑的小鸭子。

5. 天气又晴又暖和，鸭妈妈领着孩子们去游泳。"呷！呷！"小鸭子们欢叫着，水淹到他们头上，但他们马上又冒了出来，游得很漂亮。

6. 鸭妈妈带着孩子们来到养鸭场，小鸭子们从来没看见过这么多的朋友。这时，一只鸭子突然扑过来，在丑小鸭脖子上啄了一下，说："瞧你这副丑相，我真看不惯！"

7. "请不要欺负他吧，"鸭妈妈说，"他并没有伤害谁呀！"啄过丑小鸭的那只鸭子说："他长得太大，太特别了，因此，他必须挨打！"

8. 丑小鸭到处受欺负，他觉得非常难过，因为自己长得丑陋，他成了全体鸡鸭嘲笑的对象。鸭儿们啄他，小鸡打他，喂鸡鸭的女人用脚踢他。

9. 丑小鸭不明白，为什么长得丑就应该受欺负呢？于是，他钻过灌木丛，来到一群野鸭中间。"欧，哪儿来的丑八怪！真叫人恶心！"野鸭也笑着奚落他。

10. "噼！啪！"天空中发出一阵响声，几只野鸭被猎枪射中，蓝
色的烟雾像云块似地笼罩着湖面，鲜血把湖水都染红了。

11. 丑小鸭吓坏了，他连忙把头藏进翅膀里，等待着恶运的来临。
一只大猎狗奔来，他伸着吓人的舌头，眼睛发出可怕的光。他只
用鼻子闻了闻丑小鸭，便走开了。

12. "啊，谢谢老天爷！"丑小鸭舒了口气，"我丑得连猎狗也不愿咬我一口！"他安静地躺下来，枪声还在芦苇丛里响着，枪弹一发接一发地射来。

13. 丑小鸭等了好几个钟头，才敢抬起头朝四处看一看。这时，天快要黑了，他拼命逃出沼泽地，来到一个简陋的农家小屋。

14. 第二天早晨，老农妇才发现了丑小鸭，她高兴地自言自语："哈，真是好运气，我不久就会有鸭蛋吃了，我只希望他不要是一只公鸭子才好哩！"

15. 老农妇家还有一只猫和一只母鸡，他们不欢迎丑小鸭的到来。母鸡仰着头问："喂，你会生蛋吗？"

16. 猫翘了翘胡子问："你能拱起背，发出咪咪的叫声和迸出火花吗？"丑小鸭为难地回答："我还小，我不会！"

17. "你不会生蛋，也不会咪咪地叫，真是个大饭桶！"母鸡和猫挖苦说。丑小鸭坐在一个墙角里，他觉得很难过。他难以忍受母鸡和猫的冷眼，只得往森林里走去。

18. 秋天来了，树林里的叶子变成了金黄色，风卷起它们在寒冷的空中飘舞着。丑小鸭一会儿在水里游、一会儿钻进水里。不过，因为他长得丑，所有的动物都瞧不起他。

19. 一天黄昏，当太阳快到落山的时候，有一群漂亮的大鸟从灌木林里飞出来。他们白得发亮，颈项又长又柔软，他们展开美丽的翅膀，向远处飞去。

20. 丑小鸭不认识，这就是美丽的天鹅！他禁不住感到一阵说不出的喜悦，他也学着把脖子伸得长长的。心想：啊，多美丽的鸟啊！我要有他们这么漂亮该多好啊！

21. 他想去跟天鹅说话，可他又不敢去，生怕又受到欺负。天越来越冷了，湖面上结了冰，丑小鸭怕被冻在冰里，便往一条小路上走去。他又冷又饿，昏倒在路边。

22. 清早，一个农民发现了丑小鸭，他抱起来，回到家里，送给了他的妻子。丑小鸭回到温暖的屋子里，渐渐恢复了知觉，"呷，呷"地叫着。

23. 小孩子们都想跟他玩，不过，丑小鸭以为他们又想伤害他，他一下子跳到牛奶盘子里去了，把牛奶溅得满屋子都是。

24. 女人惊叫起来，拍着双手。这么一来，丑小鸭更害怕，一下飞到黄油盆里，然后又飞进面粉桶里，最后带着黄油和面粉爬了出来。丑小鸭变得更丑了。

25. 女人尖叫着，拿起火钳要打他；小孩子们欢叫着，想抓住他。幸好大门开着，丑小鸭逃出大门，钻进灌木丛中新下的雪里面。他躺在那里，几乎要昏过去了。

26. 丑小鸭躲进森林，度过了一个悲惨的冬天。当太阳又开始温暖地照耀大地的时候，他正躺在沼泽地的芦苇丛中。百灵鸟唱起歌来了！春天到了！

27. 丑小鸭迎着温暖的阳光，翅膀拍起来比以前有力多了！他猛一用力，突然腾空而起，身体离开地面，飞起来了！

28. 丑小鸭飞呀飞呀，飞进一座大花园，降落在一条弯弯曲曲的溪流上。这儿苹果树正开着花；紫丁香在散发着香气，到处充满着春天的气息！

29. 三只美丽的白天鹅从树荫里一直游到他面前来。他们轻飘飘地浮在水上，羽毛发出飕飕的响声。丑小鸭认出了这些美丽的动物，心里感到一种说不出的难过。

30. 丑小鸭想：我要飞向这些高贵的鸟儿，哪怕被他们啄死，也比被鸭子咬、被鸡群啄、被看管养鸡场的女人用脚踢和在冬天受苦要好得多。

31. 丑小鸭飞快地游到天鹅面前，说："高贵的天鹅，虽然我很丑，但我愿意和你们做朋友，如果不愿意，你们啄我，杀死我也行！"

32. "哈哈，你哪点丑呢？"天鹅说，"你低下头看看，我们不是一样吗？"丑小鸭低头看见水里的倒影，天哪！原来我也是一只天鹅！

33. 天鹅们游到他身边，不住地用红红的大嘴来亲吻他。这时，花园里来了几个孩子，他们朝水面上抛来许多面包片和麦粒。

34. 最小的一个孩子喊："你们看那只新来的天鹅!"别的孩子兴高采烈地叫着："是的,又来了一只新的天鹅!"于是他们拍着手,跳着向他们的爸爸妈妈跑去。

35. 孩子的爸爸妈妈走来,他们抛下更多的面包和糕饼到水里,说:"看呀,这新来的一只天鹅最美,又年轻,又好看!"其他的天鹅听了,不禁羞得低下头去。

36. 丑小鸭（对了，现在他是一只美丽的天鹅）感到非常难为情，他把头藏进翅膀里去了，他不知道该怎么才好，因为他感到太幸福了。

37. 这时，他默默地叮嘱自己：我不能骄傲！因为一颗美好的心是永远不会骄傲的！他想到自己曾经怎样被人迫害和讥笑过，他要记住过去的苦难！

枞 树

黄 牛 改编
谢晓虹 绘画

1. 森林里长着一株可爱的小枞树，它一心急着长大，对它沐浴着
的阳光、空气和它身边的朋友们——松树、别的树及小兔小鸟们
一点也没有兴趣。

2. 冬天，小枞树看到伐木人将大树砍倒运走。它问春天飞来的鹳鸟，大树到哪儿去了。鹳鸟告诉它："我在海上看到它们做成了美丽的桅杆!"它说："我也要昂首在大海上航行!"

3. 太阳对生长着的枞树说："享受你的青春吧，享受你蓬勃的生长，享受你身体里新鲜的生命力吧!"可是小枞树并不理睬。

4. 圣诞节到来的时候，枞树看到一些美丽的树儿被砍掉，保持着
枝叶运走了。麻雀告诉它，这些树将会搬进富丽堂皇的屋子，装
饰上许多糖果、玩具，还要在树枝上点上缤纷的蜡烛。

5. 枞树听后高兴地说："啊，这比海上航行更好！"它想象着下一
年圣诞之夜，它也会被运进温暖的大厅，被人们打扮得漂漂亮亮。
它急着生长，什么也不能享受。

6. 枞树等待的圣诞节又到了。它被砍倒，离开根生土长的森林，被两个穿着整齐的仆人抬进一间豪华的客厅，如同它过去想象的那样打扮一新，还在树顶上安上了一颗银箔的星星。

7. 圣诞之夜降临，枞树辉煌耀眼，大人和孩子们围绕着它欢呼、跳舞，同时把挂在它上面的礼物一件一件地取走了。当蜡烛烧完的时候，枞树想：还会发生什么伟大的事情？

8. 啊！孩子们得到大人的允许，向枞树冲过来，把它身上的礼物一抢而空，折腾得枝桠发出痛楚的断裂声。要不是树顶上的那颗金星系在天花板上，它会痛苦地倒下来。

9. 孩子们坐到枞树下，一个胖子讲了一个泥球滚下楼梯、坐上王位、得到公主的故事。枞树听着，心想这种幸运也会降临自己头上。于是盼望着第二天晚上它将被重新打扮起来。

10. "我又会漂亮起来了!"枞树看到一大早仆人就向它走来。不过他们是把它拖出客厅,抬到顶楼上去,放到了一个不见阳光的角落。"这是什么意思?"枞树一点也不理解。

11. 白天黑夜不停地流转,人们似乎把顶楼上的枞树忘得一干二净。它想到森林里的生活,冬天白雪很厚,兔子跳来跳去,一定很痛快。可这个黑暗的角落真是寂寞得可怕呀!

12. 一天，几只小耗子跑过来："老枞树，给我们讲个故事吧！"枞树说："我并不老呀，虽然我不能再生长！"它给小耗子重复了泥球的故事，可它们认为这个故事并不美丽。"谁是那位泥巴球？"小耗子问。

13. 一天早晨仆人来收拾这个顶楼，把枞树拖到了院子里，它看到周围真是太美了：玫瑰在开放，燕子飞来飞去，阳光耀眼，空气新鲜。它想展开枝叶去迎接新生活，可是它枯萎了。

14. 一个孩子摘下它顶上的那颗剩下的银星,说:"这奇丑无比的老枞树还挂这个!"枞树望了一眼花园里美丽的景色,又看了一眼自己,哀叹:"完了!当我能够快乐的时候,我应该快乐一下才对!"

15. 仆人走过来,把枞树砍成碎片,放进一只大酒锅下熊熊燃烧起来,每一个爆裂声都是枞树深深的叹息,它在叹息中回忆起树林里美好的时光,回味那个泥巴球的故事,直到烧成灰烬。

白雪皇后

黄　牛　改编

陆汝浩　叶冠华　陆筠涛　绘画

1. 魔鬼制造出一面镜子，一切好的、美的东西往里面一照，就变成丑陋；一切丑陋的东西会显得更糟。魔鬼得意地笑着说："人们第一次可以看到世界和人类的本来面目了！"

2. 他们拿着魔镜到处乱跑，所有的国家和民族都在里面被歪曲。后来，魔鬼居然想飞到天上去，嘲弄一番上帝和安琪儿。他们越飞越高，镜子可怕地抖起来。

3. 魔镜突然从他们手中落到地上，摔成无数碎片。更不幸的事情发生了，这些碎片在世界上乱飞，只要飞进人们眼里、心里，眼睛看到的全是丑恶，心就变成冰块。

4. 一个城市有两个穷苦的孩子，男孩叫加伊，女孩叫格尔达。他们家面对面住着，他们常常爬到水槽上种的玫瑰下玩个痛快，唱起圣诗："山谷里玫瑰花长得丰茂，那儿我们遇见圣婴耶稣。"

5. 这时大教堂的钟声报了五点，加伊突然叫了一声："啊！有个东西落进我的眼里去了，刺着我的心！"落下来的正是魔鬼那个镜子上裂下来的碎片。

6. 小加伊的心立刻变得像块冰。格尔达搂住他的脖子，他却叫着：
"呸！你这样子真难看！"并狠狠地从花钵里拔掉玫瑰花，纵身跳
进他家的窗子，将温柔的小格尔达扔在外面。

7. 冬天，加伊拉上格尔达到广场去滑雪。一架大雪橇滑了过来，
那人穿着厚毛的白皮袍和白帽子。于是加伊将自己的雪橇系到大
雪橇后面，飞快地滑出了城门。

8. 雪越下越大。那架大雪橇忽然向旁边一跳，停住了。滑雪橇的人站起来，原来是个女子，她全身衣裳全是雪花做成的，闪着白光。她就是白雪皇后。

9. "你冷吗？"白雪皇后抱过他，在他前额吻了一下。加伊只感到这吻比冰还冷，直刺到他的心。他以为快要死了。可是这感觉一会儿就变了，他觉得舒服起来，周围不再寒冷了。

10. 白雪皇后又吻了加伊一下，从此他完全忘记了可怜的小格尔达、祖母和家里所有的人。"你现在不再需要什么吻了，否则，我将会把你吻死的！"白雪皇后冷笑着说。

11. 可是加伊再也想不出比她更漂亮的面孔。白雪皇后带着他一起飞到乌云之上，飞过寒风怒号的森林、湖泊。加伊整个冬夜只能看到乌云上的一轮月亮。

12. 整个冬天格尔达都在伤心落泪，人们认为加伊滑出城门后，掉进城边的河里淹死了。当春天阳光照到大地上，她穿起一双小红鞋，要到 河边去寻找加伊，她不相信他真的死了。

13. 格尔达跳上芦苇中的一只小船，船没系牢，一下从岸边漂走了。她非常害怕，两岸很美丽，但没有一个人。她想，可能这条船会把自己送到 她的小伙伴加伊那儿去。

14. 小河把船漂到一处岸边，这儿是个很大的樱桃园。一位老太婆把格尔达领进小屋子，她向老人讲了自己的经历，老人劝她不要伤心，并要求她留下和她幸福地生活在一起。

15. 老太婆领着格尔达到花园去玩，她看到了很多美丽芳香的鲜花，但她总觉得缺少一种。原来老人害怕她看到玫瑰就想起加伊，她就用幻术隐去了所有的玫瑰花。

16. 格尔达伤心地落下泪来，热泪落到隐埋玫瑰的地上，地上立刻冒上一株盛开的玫瑰，她吻着花朵："你们知道加伊在什么地方？"玫瑰花说它们只知道他没有死。

17. 格尔达从老太婆的花园里赤脚跑了出来，在一个大石头上坐下来。她向四周望去，夏天已经过了，已是深秋时节了。"我耽误了多少光阴了，我不能休息了！"她拖着发酸的小脚走去。

18. 凄凉的雪地上，一只乌鸦跳过来，问她单独在这个茫茫世界里想要到什么地方去。格尔达向乌鸦诉说了自己的遭遇，同时问乌鸦看到过加伊没有。

19. 乌鸦说它见过加伊："不过一位公主喜欢他，他就把你忘掉了！"当格尔达知道乌鸦的妻子可以自由进出宫廷后，便请求把她带进宫里去见加伊。

20. 夜晚，她走进宫殿，最后来到了公主的睡房。屋子中央有两张床悬在粗大的金柱上，像两朵百合花。一张白的，睡着公主，另一张红的，格尔达希望在里面找到小加伊。

21. 然而他不是加伊，是王子。格尔达把全部的故事告诉了美貌英俊的公主和王子。公主邀请她在宫里住下来，享受快乐时光。可是格尔达只要求得到一辆马 车和一双小靴子，这样她就可以又去找加伊了。

22.当她穿着新靴离开宫殿时，王子和公主亲自扶她上车。"再见！"
格尔达感动地哭起来。金色的马车载着格尔达和甜饼干、姜饼驶
向远方，在太阳下闪着耀眼的光芒。

23. 格尔达穿过浓密的树林，车子的亮光把一群强盗的眼睛照得
昏眩起来。"那是金子！"他们冲上去，把格尔达从车上拖下来，叫
着："她像一只肥胖的小羔羊，好吃得很！"

24. 一个老女强盗抽出一把尖刀，想杀格尔达，突然老女强盗痛苦地叫了一声，原来是她的女儿在她耳朵上咬了一口，说："我要她跟我一块玩耍！"

25. 小女孩和格尔达坐车来到强盗宫殿。这宫殿从顶到地都布满裂痕，各种鸟和动物从敞着的洞口进出，一堆火在地上熊熊燃烧。女孩说："今晚你跟我和我的动物一块睡！"

26. 女孩一手搂着格尔达的脖子,一手拿着刀子睡觉。她对格尔达说:"现在你把出来的缘故再告诉我一遍吧!"格尔达讲着,屋梁上的一只斑鸠说:"咕咕!我看见过加伊坐在白雪皇后的车子里到终年冰雪的拉普兰去了。"

27. 第二天女孩走到一只用铜圈套着脖子的驯鹿前,问道:"你知道拉普兰在什么地方吗?"驯鹿滴溜着大眼睛说:"谁能比我知道得更清楚呢,我就是在那儿长大的。"

28. 中午，当老女强盗睡着以后，女孩解开驯鹿："好好使用你的双腿，把这个可怜的女孩送到白雪皇后宫殿去，她的伙伴在那儿！"格尔达激动得哭了起来。

29. "我看不惯眼泪！"小女孩说，"你们跑吧！"格尔达骑在驯鹿背上，说了声再见，飞奔起来，穿过森林、沼泽和大草原，身后的空气发着"嘘嘘"的响声。

30. 她们到达拉普兰，在一个低矮的小屋前停下来，一个老太婆听
了她们的诉说说：她们还要跑 300 里才能到寒冷的芬马克，因为
白雪皇后带着加伊在那儿休假。

31. 格尔达和驯鹿吃了一些东西之后，老太婆在一条鳕鱼上写了
几个字，要她们带给一个芬兰老太婆，她会告诉她们更多的消息。
驯鹿又驮着格尔达跑开了，美丽的蔚蓝色北极光整夜都在天边闪
耀着。

32. 到了芬马克，芬兰老太婆读了鳕鱼上的信。驯鹿对她说："我知道你能用一根线把世界上的风都绑在一起，那么，你能想法让格尔达有12个人那么大的力量来制服白雪皇后吗？"

33. 芬兰老太婆看了一捆奇怪的皮书之后，把驯鹿带到墙角说："加伊由于眼里和心里都钻进了魔镜的碎片，所以他觉得白雪皇后那儿很好。只有取出碎镜片，加伊才能成为人。但是白雪皇后会尽一切力量来留住他的。"

34. 老太婆看了看格尔达，对驯鹿说："我没法给她比现在更大的
力量，你没看出人和动物是怎样为她服务吗？没看到她赤着脚跑
了多少路吗？她无比强大的力量就蕴藏在她的心里！"

35. 芬兰老太婆把她们送出门，把格尔达抱上鹿背，指着前面对
驯鹿说："你把她带到远处那个红花浆果的大灌木林边之后，马上
返回来。"驯鹿听完便撒腿奔去。

36. 格尔达感到刺人的寒冷，原来出门时忘了将靴子穿上，手套也没戴。驯鹿把她送到目的地后，吻了她，立刻又跑了回去，格尔达一个人立在芬马克严寒的冬天里。

37. 雪花从地面卷过来，变得越来越大，像丑陋的大刺猬、蛇和毛发直立的小胖熊，它们全是白得放亮的有生命的雪花，原来是白雪皇后派出的前哨兵。

38. 格尔达念起主祷文，她呼出的气越来越浓，形成了明亮的小安琪儿，戴着头盔，拿着矛和盾，将白雪皇后的前哨兵打成了无数的雪花碎片。然后又勇敢地向白雪皇后的宫殿前进。

39. 白雪皇后的宫殿由积雪筑成，刺骨的寒风就是它的窗和门。强烈的北极光把空洞的大房子照得非常亮。在雪厅的中央有一个碎裂成千万块的冰湖，白雪皇后就坐在湖的中央。

40. 小加伊在冰湖上并不觉得冷，因为白雪皇后吻了他。他正在用碎冰组拼"永恒"这个词，这叫做理智的冰块游戏。白雪皇后对他说："如果你能拼出来，你就可以成为自己的主人，我将给你整个世界和一双冰靴。"

41. 可是加伊怎么也拼不出来。白雪皇后急于到爱特那火山去降温，于是飞走了。加伊独坐在几十里长的冰宫殿里，望着冰块发呆，几乎把头想破了。

42. 这时格尔达来到了宫殿里，马上认出了加伊，她跑过去紧紧
搂住他："加伊，亲爱的小加伊，我总算找到你了！"

43. 加伊坐着一动也不动，目光冷淡。格尔达伤心地流下了一串
串热泪，一直渗进他的心里，把他心里的冰块融化了，同时也把
魔镜的碎片消除了。

44. 加伊望着格尔达，格尔达唱起圣歌："山谷里玫瑰花长得丰茂，那儿我们遇见圣婴耶稣。"加伊听了大哭起来，眼中镜子的粉末被冲了出来。他认出了格尔达："格尔达！我们这是在什么地方呀，这么空旷寒冷！"

45. 小加伊抱着小格尔达，她吻着他，加伊又变得健康活泼起来，他们周围的冰块也乐得跳起舞来。冰块疲乏的躺下来的时候，恰好组成了白雪皇后要加伊拼出的图样。他解脱的字据已经亮晶晶地印在冰湖上。

46. 格尔达和加伊手挽手走出冰宫，当他们来到红色浆果林时，驯鹿和一只小母鹿正在那儿等着他们。它们把两个小伙伴送到芬兰老太婆那儿，又送到拉普兰老太婆那儿，一直到达边境。

47. 早春的树林嫩绿可爱，百鸟齐鸣。在树林里他们正巧碰上了女强盗的小女孩。她们见面非常高兴，格尔达问起公主和王子，小女孩说他们到外国旅行去了，并告诉她那只引路的乌鸦已经去世了。

48. 他们往回家的路上走着，看到的是一个青枝绿叶、花朵遍地
的春天。教堂的钟声响了，他们走进城，爬上楼，房间一切都是
原样，只是他们已长大成人，玫瑰花正在敞开的窗前盛开。

49. 格尔达和加伊在玫瑰花下互相握手，像做过一场大梦，只是
把白雪皇后那儿的寒冷和空洞全忘了。祖母在读着圣经："山谷里
玫瑰花长得丰茂，那儿我们遇见了圣婴耶稣。"他们现在懂得了这
首圣诗的含义。

接骨木树妈妈

黄　牛　改编
陈　延　绘画

1. 从前有个小孩子，他伤风病倒了，妈妈为他煮了一壶很香的接骨木茶驱寒。这时从楼上走下一个很会讲故事的老头，小孩说："妈妈说你能把你看到的东西都编成童话，你能为我讲一个吗？"

2. "不错，真正的故事是自己走来的，敲着我的脑门说'我来了!'"
这时，老人看着茶壶突然叫起来，"它现在来了。请看吧，它现在就
在茶壶里面!"

3. 小孩向茶壶望去，只见壶盖自己慢慢地立了起来，渐渐长出一
株茂盛的接骨木树，树叶中坐着一个很亲切的老太婆，她穿着绿
叶一样的衣裳，并且缀有大朵的白色接骨木花。

4. 老人告诉小孩,她叫接骨木妈妈。他说:"我们水手住宅区就长着这么一棵开着白花的大树,它是很多年以前,一个小男孩和一个小女孩栽下的。"

5. ……这树生了根,长出了繁茂的绿叶。小男孩将一只自己剪的纸船放到树下的水盆里,纸船航行得真好!几年之后,男孩走出哥本哈根,去大海航行了,一直来到出产咖啡豆的温暖国度里。

6. 第一次远航归来,他们结了婚,有了孩子,然后又有了孩子的孩子。他们现在坐到夕阳照耀的树下回忆着往事,接骨木妈妈把头伸到他们中间高兴地说:"祝贺你们50周年金婚节!"这对老夫妻就是当年栽树的那对小伙伴。

7. 听了老人的故事,小男孩说:"这并不是童话呀!"接骨木妈妈说:"是的,最奇异的童话是从真实的生活里产生出来的,否则,我的美丽的接骨木树就不会从茶壶里冒出来了。"

8. 说着，接骨木妈妈把这孩子搂进怀里，她立刻变成了一个漂亮的小女孩，开满花的树枝向他们合拢来，像是坐在浓密的树荫里在空中飞行。

9. 他们手挽手走出树荫，到了他家美丽的花园里。在小男孩眼中，爸爸系在木柱上的手杖变成了一头健壮的嘶鸣的马，他们骑了上去，沿着草坪驰骋。其实他们只骑着一根手杖。

10. 他们不停地绕着花园的草坪奔驰,小女孩不停地叫着:"我们来到乡下了!"她为他描述着农舍,大面包炉;山丘上的教堂;还有站在熊熊燃烧的熔铁炉旁打铁的铁匠。

11. 小女孩讲的一切都一一出现在他眼前。他们在整个丹麦飞来飞去。"春天在这儿是多么美丽啊!"他们站在长满新叶的毛榉林中,他们脚下升起野花的香气,红牡丹分外华丽。

12. "这儿的夏天真美呀!"小女孩叫着。于是他们来到了骑士时代
的古宫。许多天鹅在河面游着,田野里的小麦泛着麦浪。月亮在黄
昏时升上来,又圆又大,草堆发出甜蜜的香气。

13. "秋天更迷人!"小女孩兴奋地说。他们看到天空比以前更蓝更
高,树林染上最华贵的红色、黄色和绿色。老太婆和孩子们坐在打
麦场上,青年人唱着山歌。海风在远处鼓动着白帆。

14. "冬天在这儿是太美了!"小女孩对他说。于是所有的树上全盖上了白霜,雪在人们脚下发出清脆的响声,陨星不断从天上落下来,圣诞树上的灯都亮起来,小提琴声在悠扬地回旋。

15. 小女孩为这个男孩导游了一切美丽的地方。小男孩成了一个青年人。他要远航到生长咖啡豆的热带去,离别时,小姑娘把戴在胸前的那朵接骨木花送给他作纪念,他把它夹在一本赞美诗里。

16. 青年水手在国外打开诗集,每翻到这朵纪念花所在的地方,他就呼吸到了丹麦树林的新鲜空气,看到小姑娘坐在花瓣间用明亮的蓝眼睛向他凝望,低声说:"春天、夏天、秋天、冬天在这儿多美丽啊!"那些美丽的画面就在他思想中浮现。

17. 许多年之后,年轻水手老了,和妻子一起坐到水手区的这棵接骨木树下,正像他们的前辈一样谈自己过去的日子,谈金婚节。小女孩坐在接骨木树上,高兴地说:"今天就是你们的金婚节啦!"

18. 小女孩从头上的花环上摘下两朵白花,吻了一下,花朵变成了
金色的王冠,她把金冠戴到他们头上。他们坐在那株散发着香气
的树下,像国王和皇后。

19. 老人对妻子讲着他儿时听到的有关接骨木妈妈的故事,他们
觉得其中有许多地方像他们自己的生活。"是的,"坐在树上的小
姑娘说,"我真正的名字叫'回忆'。让我看看,你是不是还保留着
那朵花?"

20. 老头翻开那本赞美诗集，那朵接骨木花夹在里面，像刚刚放进去的。于是接骨木妈妈——'回忆'姑娘点点头，这时头戴王冠的老夫妻幸福的闭起眼睛，沐浴在金色斜阳中……

21. 没有声音了。伤风的小孩不知道自己是躺在床上做梦呢，还是谁对他讲过一个童话。他睁开眼，茶壶仍在桌上，但没有接骨木树从中长出来，只见讲童话的老人走向了门外。

22. 小男孩不解地问妈妈:"那么接骨木妈妈到底在什么地方呢?"
妈妈捧起茶壶笑着回答他:"就在这里面。"

23. "世界真美啊!"小孩子对守在旁边的妈妈说,"我刚才到热带
的国度去过一趟!"妈妈说:"我相信,当你喝了滚热的接骨木茶之
后,你很容易到热带国度去的! 你刚才睡得香极了!"

补 衣 针

黄 牛 改编
凌 柯 绘画

1. 有一根补衣针，她常常想象自己是根绣花针。当女厨子的几根手指来取她缝补一只旧拖鞋时，她说："这是件庸俗的工作，我不愿钻进去，我很细，要折断的！"

2. 她真的折断了。女厨子仍然不愿抛弃她,便在针头上滴了点封蜡,别在一块手帕上。她像坐进了高贵的马车里,得意地说:"我现在成了一根珍贵的领针了,一个不平凡的人总会得到一个不平凡的地位!"

3. 补衣针骄傲地挺起身子,结果一滑溜从手帕上落下来,掉进了厨房的污水沟。"现在我要去旅行了,我知道我现在的身份。"她在污水沟继续保持着得意的心情。

4. 草屑、菜叶和旧纸碎片从她身上浮过去了。她不屑一顾地心想：
它们根本就不知道下面有一件什么有身份的东西，我知道我是谁，
我永远保持我的本来面目！

5. 有一天补衣针发现她身边淌来一件射出美丽光彩的东西，她以
为这东西是金刚石，就跟她讲起话来，把自己介绍成一根领针。并
问："你是颗钻石吧？"对方回答是的——其实她只是一块瓶子的
碎片。

6. 于是双方都相信自己是价值很高的物件，并评论起世上的人都是些自以为了不起的家伙。瓶子碎片对补衣针奉承地说："你掉到沟里，要算是升级了！"

7. 这时一股污水冲过来，结果把瓶子碎片冲走了。补衣针说："瞧，她倒是升级了！我还是坐在这儿，我差不多相信我是从日光中生出来的，我多么纤细！"

8. 有一天几个孩子到水沟里找破烂，"哎哟！"一个孩子被刺了一下，"原来是你这家伙！"他用指头把补衣针捡了起来。

9. "不，我是位小姐！"补衣针纠正他们。可是谁也不理睬她，她身上的封蜡脱落了，全身变得漆黑，孩子们将补衣针插到一只浮来的蛋壳上，像一只独桅船。

10. 补衣针又得意了，心想，四周的墙都是白的，而我是黑的，这样谁都能看到我！她只希望自己坐在这条船上不要晕船，否则她就会折断了。

11. "砰"的一声蛋壳碎裂了，因为一辆马车从它上面碾了过去。补衣针痛苦地叫了一声："天哪！我现在有点晕船了！"但她并没有折断，而是僵直地又躺在了老地方。

钟 声

李 跃 改编
丁 旗 绘画

1. 黄昏的时候，太阳正在下落，烟囱上飘着的云朵泛出一片金黄的光彩。这时在一个大城市的小巷里，一忽儿这个人，一忽儿那个人全都听到类似教堂钟声的奇异的声音。

2. 钟声似乎是从一个藏在静寂而清香的森林里的教堂发出来的，可是谁也不知道森林里有没有教堂？钟声的调子为什么那么奇妙？于是富人坐着车子，穷人步行走去，都想去仔细瞧一瞧。

3. 他们在树林里找来找去，老是听到这个奇怪的钟声，就是找不着钟声的发源地，而且钟声似乎又是从城里飘来的。人们把钟声比成母亲对孩子唱的歌，什么音乐也没有它好听。

4. 这件事传进这个国家的皇帝的耳朵。他下一道圣旨:"谁找到
钟声的发源地,就封谁为"世界的敲钟人"。这么一来,成干上万
的人都到树林里去寻找钟,但是没有一个人发现钟声的秘密。

5. 在举行坚信礼的某一天,牧师发表了一篇漂亮而动人的演说。
受坚信礼的孩子们都受到了极大的感动,因为这是他们生命中极
重要的日子,他们在这一天将从孩子变成了成年人。

6. 他们走出城外的时候，树林里又传来神秘的钟声。他们想立刻就去找这个钟声，于是他们全都去了，只有一人例外。他是一个穷苦的孩子，因为他受坚信礼穿的衣服和皮靴是借的，必须归还。

7. 当他们走到森林边的柳树林的时候，有些孩子不愿再找了，他们说："好了，我们找了这么久，可连影子都没有见着，这完全是一个幻想！"只有四五个孩子决心再向树林里走去。

8. 树很密，叶子又多，要向前走真是不容易。车叶草和秋牡丹长得非常高，盛开的旋花和黑莓像长花环似地从这棵树牵到那棵树。夜莺在这些树上唱歌。

9. 啊，真美！这儿有长满了各色青苔的石块，有潺潺流着的新鲜泉水，发出一种"骨碌、骨碌"的怪声音。"这不会是那个钟吧？"孩子中有一个问。于是他就躺下来静静地听，不再走了。

10. 他们找到一座用树皮和树枝盖的房子，房子上有一棵结满了苹果的大树，它的长枝子盘在房子的三角墙上，这墙上挂着一个小钟。难道这就是那个发出神秘声音的钟吗？

11. 他们都有这种想法，只有国王的儿子例外。他说这个钟太小，太精致，它的声音决不会让人们在很远的地方就听得见！别的孩子说："这种人总是想装得比别人聪明一点，让他一个人去找吧！"

12. 这样，大家就让他一个人向前走。越向前走，他的心里就越
充满一种森林中特有的静寂感。他听到的钟声非常洪亮，好像有
风琴在伴奏似的，而且是从左边来的——从心脏那边来的。

13. 有一阵沙沙的响声从灌木丛中飘出来，王子面前出现了一个
男孩，他穿着一双木鞋和一件非常短的上衣。这就是那个因为要
还衣服而没一起来的穷孩子。

413

14. "我们一块儿走吧!"王子说。这个孩子感到非常尴尬。他认为钟声一定是从右边来的,因为右边的景象很庄严美丽。这样,他们就不能一块走了,分别向左、右方走去。

15. 分手后,穷孩子向树林最深最密的地方走去。荆棘把他的衣服撕破了,把他的脸、手和脚划得流出血来,他咬着牙继续前进。

16. 王子身上也有几处伤痕，不过他所走的路却充满了阳光。"即使我走到世界的尽头，"他说，"我也要找到这个钟！"

17. 调皮的猴子坐在树上做怪脸，露出它们的牙齿。"我们扔些东西到他身上去吧！"它们说，"我们打他吧，因为他是一个国王的儿子！"王子一步一步地向树林的深处走。

18. 这里景致奇特。王子站着静静地听，他觉得钟声是从深沉的湖里飘上来的。不过他马上就注意到，钟声并不是从湖里来的，而是从森林的深处来的。

19. 太阳现在下落了，天空像火一样的红，森林里是一片静寂。这时他跪下来，说："我将永远看不到我所追寻的东西！我要爬到崖石上去，因为它比最高的树还要高！"

20. 他攀着树根和蔓藤在潮湿的石壁上爬，壁上盘着蛇，有些癞
蛤蟆也似乎在对他狂叫。不过，在太阳没有落下以前，他已经爬
上去了。

21. 啊，他的眼前展开一片美丽的茫茫大海，汹涌的海涛向岸上
袭来。太阳悬在海天相接的那条线上，一切融化成为一片鲜红的
色彩。整个大自然构成了一个伟大的、神圣的教堂。

417

22. 这时，那个穷孩子也攀着树枝爬上了崖顶，他们在这充满大
自然美丽景色和诗的教堂中握手，金子一般的阳光洒在他们身上，
发出灿烂的光芒。

23. 这时，那个看不见的、神圣的钟在他们的上空发出宏亮而悠
扬的响声。树林在唱歌，大海在欢笑，他们的心也跟着唱起了欢
乐的颂歌。

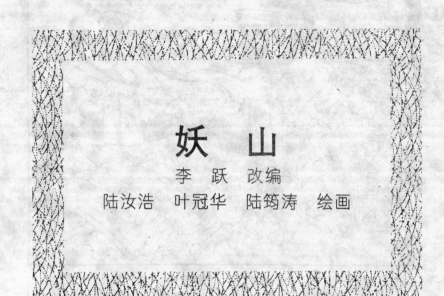

妖 山

李 跃 改编

陆汝浩 叶冠华 陆筠涛 绘画

1. 在一株老树的裂缝里有好几只蜥蜴在活泼地跑着。它们都很了解，因为它们讲着同样的蜥蜴的话。"嗨，住在老妖精山上的那些家伙号叫得才厉害呢！"一只蜥蜴说，"闹得我两整夜合不上眼睛。"

2. "那儿一定有什么事情!"另一只蜥蜴说,"他们把那座山用四根红柱子支起来,一直支到鸡叫为止。那些女妖还学会了像跺脚这类的新舞步呢。"

3. 一位直接从山里来的蚯蚓告诉蜥蜴们:妖山要举行一个火炬游行。正在他们议论、猜测的时候,妖山开了。一位老妖小姐,急急忙忙地走出来。她是老妖王的管家娘娘。

4. 她的一双腿动得真够快，得！得！嗨，她一口气走到住在沼地
上的夜乌鸦这里。"请您到妖山去，今晚就去，"她说，"不过先请
您帮帮忙，把这些请帖送出去好吗？"

十

5. 夜乌鸦听说要请一些非常了不起的客人，很兴奋，说了声"好
极了！"就拿着请帖飞走了。这时候，女妖们已经在妖山跳起舞来
了。她们披着雾气和月光织成的长围脖，不停地跳着。

6. 妖山的正中央是一个装饰得整整齐齐的大客厅。地板用月光洗过，墙用巫婆的蜡油擦过。厨房里全是烤青蛙、小孩的手指、毒菌丝拌凉菜、湿耗子鼻、锈的指甲和玻璃碎片。

7. 老妖王用石笔把他的皇冠擦亮。"亲爱的爸爸！"最小的女儿说，"我们最显贵的客人是些什么人呢？""嗯，"他说，"我的结拜兄弟老地精和他的两个少爷，他们每人要来找一个妻子。"

8. 这三人来得最晚。"这就是那个土堆吗?"小儿子指着妖山问。"我们在挪威把这种东西叫做土坑。""孩子!"老地精说,"土坑向下凹,土堆向上凸,你的脑袋上没有长眼睛吗?"

9. 他们走进妖山。这儿的客人的确都是上流人物。海人坐在水盆里跟那些长有尾巴的头等魔鬼们欣赏妖小姐们的舞蹈。她们的腿动得才灵活呢! 使人看不清楚哪里是手臂,哪里是腿。

10. "嘘嘘!"老地精说,"这可真是迷人舞呢!不过,她们除了伸伸腿和扇起一阵旋风以外,还能做什么呢?""你等着瞧吧!"妖王说。于是他把他女儿喊了出来。

11. 最小的女儿轻盈和干净得像月光一样,她是所有姊妹中最娇嫩的一位。她把一根白色的木栓放在嘴里,马上她就不见了,这就是她的魔法。

12. 第二个女儿可以跟自己并排走，好像她有一个影子似的。第
三个女儿在沼泽女人的酒房学习过，所以会用萤火虫在树桩上擦
出油来。"她可以成为一个很好的家庭主妇！"老地精说。

13. 现在第四个女儿来了。她有一架很大的金竖琴。她弹一下的
时候，所有的人就都举起左腿来，她弹第二下的时候，所有的人
就都得照着她的意思动作。

14. 第五、第六两个女儿没有什么可以表演的。于是第七位，也是最后的一位，走出来了。听说她很会讲故事，老地精就伸出手说："这是我的五个指头。你把每个指头编个故事吧！"

15. 当这位妖姑娘讲到无名指，它戴着一个戒指，好像 它知道有人快要订婚似的。老地精说，"把你握着的东西捏紧吧，这只手就是你的！我要讨你做太太！"

16. 大厅里表演节目的时候，老地精的两个儿子溜到外面来了。他
们在田野里奔跑，把那些好心好意来准备参加火炬游行的鬼火都
吹走了。

17. 老地精很生气地把他们扯进大厅。"你们居然这样胡闹！"他
说，"我为你们找到了一个母亲。现在你们也可以在这些姨妈中挑
一个呀！"不过少爷说，他们只喜欢喝酒，没有心情讨太太。

18. 他们喝完酒、脱下上衣倒在桌子上呼呼地睡起来，因为他们不愿意讲什么客套。这时老地精跟他的年轻夫人在房里跳得团团转。

19. "现在鸡叫了！"管家的老妖姑娘说。"我们现在要把窗子关上，免得太阳烤着我们！"这样，妖山就关上了。不过外面的蜥蜴说："啊，我真喜欢老地精！"蚯蚓说："我更喜欢他的几个孩子！"

祖　母

李　跃　改编
方立业　绘画

1. 祖母很老了，她脸上有许多的皱纹，她的头发很白。不过她的那对眼睛亮得像两颗星星，甚至比星星还要美丽。她还能讲许多好听的故事。

2. 祖母有一本圣诗集，她常读这本书。书里夹着一朵玫瑰花，它
   已经压得很平、很干了，但是只有对这朵花她才露出最温柔的微
   笑，她的眼里甚至还流出泪来。

3. 每次祖母的眼泪滴到这朵花上的时候，它的颜色立刻就又变得
   鲜艳起来。这朵玫瑰张开了，于是整个房间就充满了香气。四面
   的墙都向下陷落，好像它们只不过是一层烟雾似的。

4. 她的周围出现了一片美丽的绿树林。这时祖母又变得年轻起来。她长着一头金黄卷发、红红的圆脸庞，任何玫瑰都没有她这样新鲜。她的那对眼睛永远是那样温柔和纯洁。

5. 在她旁边坐着一个男子，那么健康，那么好看。他送给她一朵玫瑰花，她微笑起来……

431

6. 可是现在他已经不在了，许多思想，许多形象在她面前浮过去了。祖母她现在是一个老太婆，仍然坐在那里，望着那朵躺在书里的枯萎了的玫瑰花。

7. 现在祖母死了。她躺在那儿，嘴上浮出一个微笑。赞美诗集放在她的头下，那朵玫瑰花仍然躺在这本诗集里。人们就这样把这位温柔、和善的老祖母葬了。

红 鞋

李 跃 改编

邹越涛 张似樱 绘画

1. 从前有一个叫珈瑜的小女孩，她是一个非常可爱、漂亮的小女孩。因为贫穷，她夏天只得打着一双赤脚走路；冬天她拖着一双沉重的木鞋，脚背都被磨红了。

2. 一个年老的女鞋匠用旧红布片为珈瑜缝了一双小鞋。在妈妈入葬的那天，她得到了这双红鞋。戴孝时不应该穿红鞋，但是她没有别的鞋，只好穿上这双鞋跟在棺材后面走。

3. 一个老太太看到了这位小姑娘，非常可怜她，就把她带回自己家里。珈瑜过上了好生活，以为这是她那双红鞋的缘故。可是老太太说红鞋很讨厌，便把这双鞋烧了。

4. 有一次，皇后带着她的小女儿到全国旅行，老百姓都拥到门口来看，珈瑜也在他们中间。那位小公主穿着华丽的红鞣皮鞋，珈瑜觉得世界上没有什么东西比红鞋更漂亮！

5. 现在珈瑜已经长大，可以受坚信礼了。于是，老太太带她到鞋店来买鞋子。珈瑜买下了一双发亮的红鞋，它跟公主所穿的那双一样美丽。

6. 老太太的眼睛看不清楚，不知道珈瑜买的鞋是红色的。珈瑜穿着这双红鞋进了教堂，她觉得所有的人都在盯着她的一双红鞋。整个受礼过程中，她都在想着她的红鞋。

7. 那天下午，老太太听大家说那双鞋是红色的。于是她就说，这未免太胡闹了，太不成体统了。她还说，从此以后，珈瑜再到教堂去，必须穿黑鞋。

8. 下一个星期日要举行圣餐。珈瑜看了看那双黑鞋，又看了看那双红鞋，看来看去，最后决定还是穿上那双红鞋。

9. 教堂门口有一个残废的老兵，他留着一把很奇怪的红胡子。他把腰几乎弯到地上去了，他问老太太，他可不可以擦擦她鞋上的灰尘。珈瑜也把她的小脚伸了出来。

10. "这是多么漂亮的舞鞋啊!"老兵说,"你在跳舞的时候穿它最合适!"于是,他就用他的手在鞋底上敲了几下。老太太给了钱以后便带着珈瑜走进教堂里去了。

11. 教堂里所有的人都望着珈瑜的这双红鞋,当珈瑜跪在圣餐台面前,嘴里衔着金圣餐杯的时候,她只想着她的红鞋,她忘记了唱圣诗,忘记了念祷告。

12. 现在大家都走出了教堂。老太太走进她的车子里，珈瑜也抬起脚踏进车子里，这时站在旁边的那个老兵说："多么美丽的舞鞋啊！"珈瑜经不起这番赞美，她想跳几下。

13. 她一开始跳舞，这双腿就不停地动起来。她绕着教堂跳着，没有办法停下来，车夫不得不跟在她后面跑，把她抓住，抱进车子里去。不过她的一双脚仍在跳，直到脱下鞋子腿才安静下来。

14. 不久，老太太病倒在床，由珈瑜看护和照料着。这时城里有一个盛大的舞会，有人请珈瑜去。她望了望这位老太太，又瞧了瞧那双红鞋，最后还是穿上了这双红鞋。

15. 舞会上，当她要向右转的时候，鞋子却向左边跳。当她想要向上的时候，鞋子却要向下跳。她走下楼梯，一直走到街上，走出城门。她不停地跳着，一直跳到黑森林里。

16. 树林中出现一道光。她看到那个红胡子的老兵，他点着头，同时说："多么美丽的舞鞋啊！"这时她害怕起来，想把这双红鞋扔掉，但是鞋已经生到她脚上去了，脱不下来了！

17. 红鞋使她不停地跳舞，静不下来，也没法休息。当她跳到教堂散着的大门口的时候，她看到一位穿白长袍的安琪儿，安琪儿的面孔庄严而沉着，他手中拿着一把明晃晃的剑。

441

18. "你要跳舞,"他说,"一直跳到你发白、发冷、成为一架骸骨。你要到一些骄傲自大的孩子们的家去敲门,好叫他们害怕你!你要不停地跳舞!""请饶了我吧!"珈瑜叫起来。

19. 安琪儿没有再理会她,这双鞋又把她带到别处去了。有一天早晨她跳过一个很熟识的门口,人们抬出一口棺材,这时她才知道那个老太太死了,她也觉得她已经被大家遗弃了。

20. 她在漆黑的夜里跳着，荆棘和野蔷薇把她的全身刺得流血。她一直跳到一个孤零零的小屋子前，用手指敲着玻璃窗，同时说："请出来吧！请你把我这双穿着红鞋的脚砍掉吧！"

21. 这里住着一位刽子手。珈瑜说出了她的罪过，刽子手就把她那双穿着红鞋的脚砍掉了。这双鞋带着她的小脚跳到漆黑的森林里去了。于是他为她配了一双木脚和一根拐杖。

22. "我为这双红鞋已经吃了不少的苦头，"珈瑜说，"现在我要到教堂里去，好让人们看看我。"但是，当她刚刚走到教堂门口的时候，那双红鞋就在她面前跳舞，弄得她害怕起来，掉头就走。

23. 从此，她在一位牧师的家里当佣人。白天，她很勤快和用心的做活；晚间，当牧师朗读圣经的时候，她就静静地坐下来听。当孩子们谈到漂亮的衣服和皇后的美丽时，她就摇摇头。

24. 星期天，牧师一家到教堂去做礼拜。珈瑜拿着一本圣诗集坐在家里，用一颗虔诚的心来读它里面的字句。风儿把教堂的风琴声向她吹来，她抬起被泪水润湿了的脸，说，"上帝啊，请帮助我！"

25. 这时，手拿玫瑰花的安琪儿出现了，他用玫瑰花枝在珈瑜身上轻轻拂了一下，珈瑜立刻来到一座充满阳光的教堂里，她的一双脚也恢复了原形。从此，珈瑜再也不想那双红鞋了。

跳 高 者

李 跃 改编
杨煤海 绘画

1. 有一次，跳蚤、蚱蜢和丹麦玩具跳鹅这三位著名的跳高者，要进行跳高比赛了。所有的人都来参观这个伟大的场面。"对了，谁跳得最高，我就把我的女儿嫁给谁！"国王大声宣布。

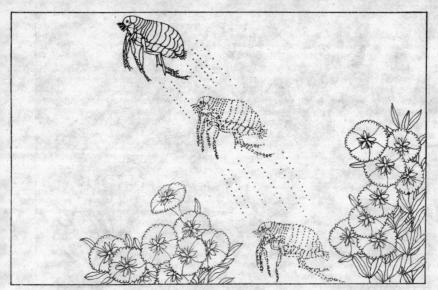

2. 跳蚤第一个出场。它可是一个跳高的绝顶高手，人们根本没有看清楚它是怎样跳进场中的。不过它的样子非常可爱，它向四周的人敬礼，因为它身体里流着人类的血液。

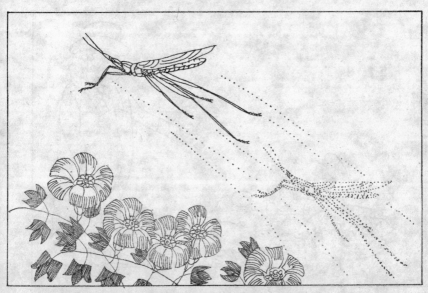

3. 接着蚱蜢也跳到场中，动作粗笨了一点，但它的身材很好看，它穿着它那套天生的绿制服，使得它的整个外表说明它是出身于埃及的一个古老的家庭，因此人们非常尊敬它。

4. "我唱得非常好，"蚱蜢说，"甚至16个本地产的蟋蟀也唱不过我。"跳蚤说："我们是来比赛跳高的，谁跟你比唱歌！"跳鹅一句话也不说，摇摇摆摆地走进场中。

5. 一只宫里的狗嗅了跳鹅一下，很有把握地说，跳鹅来自一个上等的家庭。一位因为从来不讲话而获得了三个勋章的老顾问官说，他知道跳鹅有预见的天才。

6. "好。什么也不要讲了！"国王说，"只须在旁边看，我自己心里有数！现在开始比赛！"

跳蚤跳得非常高，谁也看不见它，因此大家就说它完全没有跳。这种说法太不讲道理了。

7. 蚱蜢跳得没有跳蚤一半高。不过它是向国王的面前跳过来，因此国王就说："太无礼了！太大胆了！真是可恶极了！"

8. 跳鹅站着沉思了好一会儿，最后它笨拙地一跳，一下子跳到公主的膝上。公主坐在一个矮矮的金凳子上，一把抱住了它。

9. 国王宣布跳鹅得到了公主。他说："谁跳到我女儿身上，谁就要算是跳得最高的了，因为这就是跳高的标准。而且更需要有点头脑，跳鹅已经显示出它有头脑。"

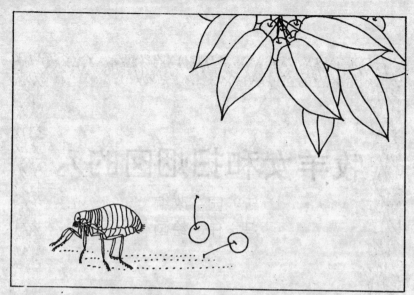

10. 那只蚱蜢坐在田沟里，把这世界上的事情仔细思索了一番，不停地说："头脑更重要，头脑更重要！"于是它便唱起了它自己的哀歌。我们从它的歌声中得到了这个故事。

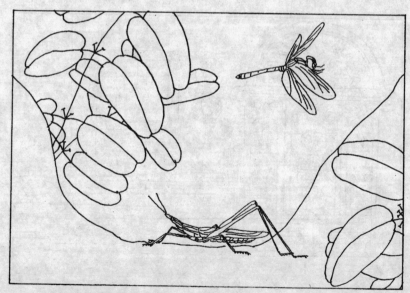

11. "我跳得最高！"跳蚤气愤地说。可是这一点用处也没有！在这个世界里，光跳得高不行，还得跳到别人看得见的地方。它一怒之下参加了一个外国兵团，据说不久就牺牲了。

牧羊女和扫烟囱的人

新　园　改编
冯学伟　绘画

1. 在一个古老的房间里，摆着一只发黑了的老木碗柜。木碗柜上刻满了玫瑰和郁金香，还有一只生着许多角的小鹿的头。碗柜中央雕有一个人的全身像，大家称他叫"公山羊腿"。

2. 公山羊腿自称是上将或作战司令，可他的样子实在不美妙，充其量只能是个中士。他现在站在那儿，眼睛死死地盯着镜子下面的那张桌子。

3. 桌子上摆着一个可爱的瓷做的小牧羊女，她穿着一双镀金的鞋，她的长衣服用一朵红玫瑰扎起来。她还有一顶金帽子和一根木拐杖，她真是动人！

4. 紧靠牧羊女身旁，立着一个小小的扫烟囱的人。他像炭一样黑，也是瓷做的。他拿着梯子，站得离牧羊女非常近。

5. 他们既然处在这样近的位置上，自然很亲近，所以，他们也就订婚了。他们配得很好，两个人都很年轻，都充满了青春的活力。

6. 在他们身旁，还有一个年老的中国人，这人的身材比他们大三倍，他也是瓷做的，但他会点头。他自称是小牧羊女的祖父，他有权利决定孙女儿的一切事情。

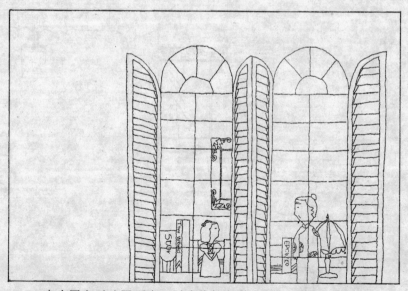

7. 老中国人干咳了两声，对小牧羊女说："咳！咳！你应该有一个丈夫了，你就当将军夫人吧！你看，他多么富有，这一碗柜银盘子都是属于他的！"

8. "我不愿意到那个黑暗的碗柜里去!"小牧羊女说,"我听说过,他在那里边藏有 11 个瓷姨太太。"老中国人说:"那你就当他的第12 个姨太太好了,好了,今天夜里当老碗柜嘎嘎响的时候,你们就算结婚了!"

9. 老中国人说完,便打着呼噜睡着了。小牧羊女望着她爱的扫烟囱的人,哭了起来:"我恳求你,带我到外面广大的世界里去吧!在这里我是不会感到快乐的。"

10. 扫烟囱的人一面安慰她，一面教她如何把她的小脚踏着雕花的桌角，沿着桌腿走下来。他还把他的梯子拿来帮助她，他们很快便来到了地面上。

11. 这时，碗柜里发生了一阵骚动，公山羊腿暴跳如雷地喊着那个老中国人："喂，中国老头儿，快看，他们现在私奔了！"

12. 他们有些害怕了，急忙跳到窗台下面的一个抽屉里去了。这
儿有三四副不完整的纸牌，还有一个小小的木偶戏剧场。

13. 木偶戏正在演出之中，戏里描写两个相爱的年轻人没有办法
成为夫妻。看着看着，牧羊女哭了起来，因为戏中的故事同她的
身世非常相似。

14. "我看不下去了,"她说,"我非走出这个抽屉不可!"当他们悄悄来到地上,往桌子上一看,发现那个老中国人已经醒了,而且正在全身发抖。

15. "老中国人来了!他很生气!"小牧羊女尖叫一声。"别怕,"扫烟囱人说,"我们钻进墙角边那个大花瓶里去躲起来,如果他找来,我们就撒一把盐到他的眼睛里!"

16. "不行!"小牧羊女说,"我知道老中国人曾经和花瓶订过婚,我们只有逃到外面广大的世界里去了!""你真有勇气逃走吗?我们一去就不能再回到这里来了呀!"扫烟囱的人说。

17. 小牧羊女肯定地点了点头。于是扫烟囱的人就领着她来到炉门口。"里边看起来可真黑呀!"她说。但她仍然跟着他走了进去。

18. 烟囱里简直是漆黑的夜，扫烟囱的人指着上方说："瞧吧！上面那颗美丽的星星照得多亮！"天上有一颗亮晶晶的星，它正照着他们，好像要为他们带路似的。

19. 他们艰难地爬着，摸索着前进。这是一条可怕的路，它悬得那么高。他们手拉着手往上爬，终于爬到了烟囱口。

20. 他们在烟囱口坐下来，感到非常疲倦。天上布满了星星，小牧羊女向四处望着，她从来没有想象到，世界原来就是这么个样子。

21. 小牧羊女把她的小头靠在扫烟囱的人肩上，伤心地哭了起来：呜呜！这个世界太广大了，我真想回到镜子下面的那个桌子上去！如果你真心爱我，还是陪我回去吧！"

22. 扫烟囱的人耐心地劝慰她："如果我们回去，那个老中国人就会对你不客气，你就会嫁给那个公山羊腿……还有……"

23. 小牧羊女抽咽得很厉害，她执意要回到原来的地方去。扫烟囱的人只好听从她了。他们又费了很大力气才爬下烟囱，站在黑暗的火炉里，静听着外面的动静。

24. 听了一阵，屋里一片寂静，他们偷偷地探出头去看。哎呀，老中国人正躺在地板中间！原来他在追赶他们的时候从桌子上跌下来，跌成了三片。

25. 他躺在地上，背跌碎了，头滚到墙角里。那个公山羊腿仍然站在原来的地方。"啊，太可怕了！老祖父跌成了碎片，这完全是我们的过错。"

26. "他可以修好的！"扫烟囱的人说，"你千万不要过分伤心，这会损坏你的身体的。"于是，他们又爬上桌子，重新回到原来的地方。

27. 第二天，主人发现老中国人被跌碎了，于是把他的背用胶水粘好，又在他的颈上钉了一根结实的钉子。他像新的一样了，只是不能再点头了。

28. "自从你跌碎了以后，你倒显得自高自大起来!"公山羊腿望着老中国人说，"我到底跟你的小孙女结婚呢，还是不跟她结婚？"

29. 扫烟囱的人和牧羊女望着老中国人，生怕他会点头答应。但是，他现在已经无法点头了。因此，这对瓷人就成为夫妻了。他们相亲相爱，直到他们破碎为止。

丹麦人荷尔格

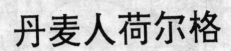

李　跃　改编

张歌民　绘画

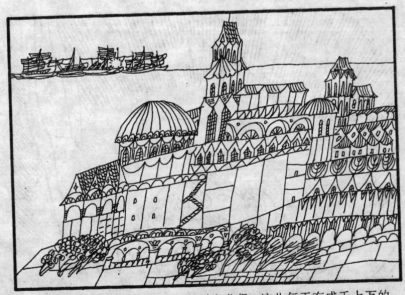

1. 丹麦有一个古老的宫殿，名叫克龙堡。这儿每天有成千上万的大船经过。它们鸣炮向这个古老的宫殿致敬，轰！克龙堡也放炮回礼，这炮所说的是"日安"和"谢谢您"的意思。

2. 在克龙堡的一个深黑的地窖里，坐着丹麦人荷尔格。他的长胡子垂到一张大理石桌子上，在那上面生了根。他睡着、做着梦，他在梦里可以看到丹麦所发生的一切事情。

3. 假如有危险到来的时候，年老的荷尔格就会醒来。当他把他的胡子从桌子上拉出来的时候，这个桌子就要裂开。这时他就走出来，挥动他的拳头，让全世界各国都能听到他的拳声。

4. 这些关于丹麦人荷尔格的故事是年老的祖父对他孙子讲的。当这老人坐着讲的时候,他还雕出一个木像来。它代表丹麦人荷尔格,他把它放在船头上,船就以这个雕像来命名。

5. 现在他雕出来了。这是一个有长胡子的雄赳赳的人。他一只手拿着长剑,另一只手倚在丹麦的国徽上。这时候,小家伙已经躺在床上了,他在梦中老想着丹麦人荷尔格的故事。

6. 老祖父还在不停地雕刻。最后，他雕出了丹麦的国徽。"这是世界上一个最美丽的国徽！"老人说，"这些狮子代表力量，而这些心代表和平和爱！"这些心在他眼里发出明亮的光辉；变成闪动着的火焰。

7. 第一个火焰来到了一个地狱，国王克利斯仙四世的女儿坐在这里。这个火焰变成了一朵玫瑰花贴在她的胸口上。"她是一个最高贵、最好的女人。"老祖父说，"是的，这是丹麦国徽中的一颗心！"

8. 第二个火焰飞到大海上，这儿大炮在轰轰响，许多船只被笼罩在烟火中。这个火焰变成一个勋章，紧贴在微特菲尔得的胸前。这时，这个男子为救整个船队，正在把自己和他的船炸毁。

9. 那第三个火焰把他领到格林兰岛上的一座破烂的茅屋中。这儿住着一位牧师，他的语言和行动充满了爱的感情。这个火焰是他胸前的一颗星，也是丹麦国徽上的一颗心。

10. 佛列得里克六世站在一个农妇的简陋房间里,把他的名字写在屋梁上。火焰在他的胸前闪动着,也在他的心里闪动着,在这个简陋的房间里,他的心成了丹麦国徽上面的一颗心。

11. 这时老祖父的儿媳妇走过来了。"您应该休息一下,晚餐已经准备好了。"她说,"不过,您雕出的丹麦人荷尔格,我仿佛觉得以前看到过似的!"

12. "不，那是不可能的，"老祖父说，"不过我倒是看到过的……，在我身旁还站着另一个男人，枪弹好像是害怕他似的！他愉快地唱着古代的歌，开着炮，战斗着……

13. "不过他是从什么地方来的，又到什么地方去了，谁也不知道。我想他一定是古代丹麦人荷尔格的化身——那位从克龙堡游下水去，在危急的关头来救援我们的人。"

14. 这个雕像的大影子映到墙上，就好像真正的丹麦人荷尔格站在它后面似的。他们吃晚饭的时候，老祖父还在谈着丹麦的狮子和丹麦的心。

15. 睡在床上的那个孩子梦见丹麦人荷尔格，他对这一家人点头说："是的，你们丹麦的人民请记住我吧！请你们在思想中记住，在你们危急的时候，我就会来的!"

卖火柴的小女孩

新　园　改编
卉　子　绘画

1. 天冷得可怕，正下着雪，夜幕开始垂下。这是一年的最后一夜
——新年的前夕。

2. 在寒冷和黑暗中，一个小女孩正在大街上走着，她穿着妈妈的旧拖鞋，匆忙穿过大街，这时，两辆马车飞快地闯过来，她吓得把拖鞋也跑落了。

3. 一只拖鞋怎么也找不到，另一只被一个男孩子抢跑了，男孩子举着拖鞋边跑边说："哈，好大的拖鞋，将来我有了孩子，可以当摇篮用了。"

4. 没有了拖鞋，小姑娘赤脚走在雪地上。看呀，她的脚冻得又红
又肿了。

5. 她的旧围裙里兜着许多火柴，手里还拿着一束，她一整天也没
卖出一根火柴，谁也没有给她一个铜板。

6. 洁白的雪花落在她金黄色的长头发上——这头发卷曲地披在肩上，看起来非常美丽。她又冷又饿，哆哆嗦嗦地向前走着……

7. 街旁所有的窗子都射出明亮的光,空中飘着一股烤鹅肉的香味,今天是除夕,是人们合家团聚的时候,更是孩子们盼望已久的节日。

8. 她在一个墙角里坐下来，缩成一团。她把一双小脚缩进围裙，不过，她感到更冷了。

9. 她不敢回家去，因为她没有卖掉一根火柴，没有赚到一个铜板，她怕父亲生气。

10. 她家里会更冷的，家里什么也没有，房子破得只剩一个屋顶了，风可以从上面灌进来，把雪吹进屋里。

11. 她的一双小手几乎冻僵了。唉，哪怕一根小火柴对她也是有好处的呀！只要她抽出一根火柴，在墙上擦燃，就可以暖手了。

12. 小姑娘终于抽出一根火柴，在墙上擦了一下，哧！火柴燃起来了，冒出火来了！当她把手覆在上面的时候，明亮的火焰像一根小小的蜡烛。

13. 小姑娘觉得自己仿佛坐在一个黄铜炉旁边一样，那么温暖，那么美好！火烧得多么欢，多么可爱啊！

14. 唉，这是怎么啦？小姑娘刚刚伸出她的一双脚，打算暖和一下，火焰忽然熄灭了！火炉不见了，她坐在那儿，手中只有烧过的火柴梗。

15. 小姑娘又擦了一根，火柴燃起来了，发出了明亮的光。墙上那块被火光照着的地方，现在变得像薄纱一样透明，她可以看见房间里的东西了。

16. 桌上铺着雪白的台布，上面放着精致的碗盘，还有填满梅子和苹果的冒着香气的烤鹅。

17. 看！这只鹅从盘子里跳出来了，它背上插着刀叉，蹒跚地在地上走着，一直向这个穷苦的小姑娘走来。

18. 但是，这一根火柴又熄灭了，她面前只有一堵又厚又冷的墙。

19. 她又擦了一根火柴，现在她坐在美丽的圣诞树下，这株树比她上次圣诞节时，透过一家富商的玻璃门里看到的一株还要大，还要美。

20. 它的绿枝上燃着几千支蜡烛；一些跟商店橱窗里陈列的画一
样美丽的彩色图画在向她眨眼。

21. 小姑娘把两只手伸过去。可是火柴熄灭了。圣诞树的烛光越
升越高。她看到它们变成了明亮的星星，这些星星有一颗落下来，
在天空划出一条长长的红光。

22. "现在又有一个人死去了。"小姑娘说，因为她的老祖母活着的时候曾经给她讲过一个故事。老祖母说："天上落下一颗星星，地上就有一个灵魂升到上帝那儿去了！"

23. 她又擦一根火柴，火柴把四周都照亮了，亮光中老祖母出现了，显得那么光明，那么温柔，那么和蔼，那么慈祥。

24. "奶奶!"小姑娘叫起来,"啊,请把我带走吧!我知道,这根火柴一灭掉,你就会像那棵美丽的圣诞树一样地不见了呀!"

25. 于是,她急忙把一整束火柴都擦亮了,因为她非常想把祖母留住。这些火柴发出强烈的光芒,照得比大白天还要明朗。

26. 祖母显得特别高大美丽，她把小姑娘抱起来，紧紧地搂在怀里……

27. 她们两人在光明和快乐中飞走了，越飞越高，飞到那没有寒冷、没有饥饿，也没有忧愁的地方去了。

28. 新年寒冷的早晨，这个小姑娘却坐在那个墙角里，她的双颊通红，嘴唇里带着微笑，她已经死了——在除夕的夜里冻死了。

29. 新年的太阳升起来了，照着她小小的尸体……她坐在那儿，手里仍捏着一束差不多烧光的火柴。

30. "她想给自己暖一暖身子，真可怜！"人们围在小姑娘身旁叹息着，几个女人流出了怜悯的热泪。

31. 谁也不知道：她曾经看到过多么美丽的图景，她曾是多么快乐地跟着祖母一起，走到新年的幸福中去了。

城堡上的一幅画

吴传珍　改编

应晓梅　绘画

1. 城垒正对着瑞典的海岸线。海面上有许多船只，海岸有许多美丽的古树。城垒下面，有一栋木栅栏围着的凄凉的房子。有铁栏杆、又窄又黑的那间，便是罪行最重的犯人呆的地方。

2. 落日的一丝光线射进了这间小室。太阳是不分善恶,什么东西都照的! 这个阴沉的、凶恶的囚犯对这丝寒冷的光线狠狠地看了一眼。

3. 一只小鸟向铁窗飞来。"滴丽! 滴丽"地唱着歌。鸟儿向恶人歌唱,也向好人歌唱! 它拍拍翅膀,啄啄羽毛,脖子上的羽毛直立起来。犯人望着它,凶恶的脸上露出了一种温柔的表情。

4. 囚犯看着太阳，听着小鸟的歌，嗅着铁窗外紫罗兰的香气。这时，猎人吹起了一阵轻快而柔和的号角。那小鸟飞走了，太阳光消逝了。小室里一片漆黑，这犯人心里也一片漆黑。

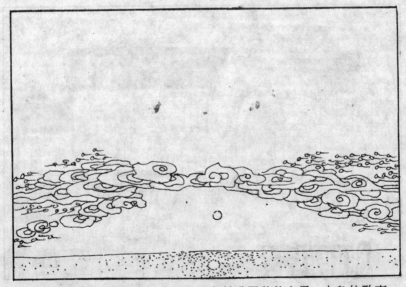

5. 囚犯感到寂寞无赖。因为太阳光射进了他的心里，小鸟的歌声已留在了他的心里。他多么希望那美丽的狩猎号角继续吹响啊！铁窗外，黄昏是温柔的，海水是平静的，一点风也没有。

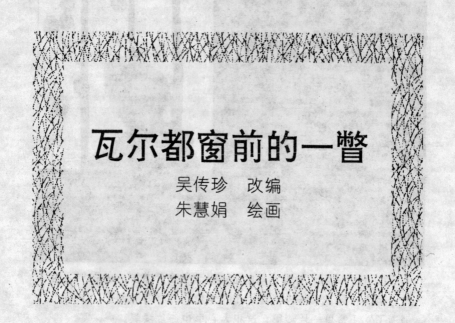

瓦尔都窗前的一瞥

吴传珍　改编
朱慧娟　绘画

1. 哥本哈根城垒的对面是一幢高大的红房子。它的窗子很多，里面住的全是一些穷苦的老人。这就是"瓦尔都养老院"。

2. 一位老小姐倚窗而立。她看着窗台上的凤仙花，窗外的绿草；她看着许多没有鞋、没有袜的小孩在城垒上玩耍。他们玩得多么快乐啊！

3. 她看着一位快乐的小姑娘，想象着这姑娘不久将步入幸福的岁月，穿着用旧衣服改成的白色长衣，披着太宽太长的红披肩；挽着恋人的手臂漫步，准备去受坚信礼……

4. 由此，也勾起了老小姐对欢乐的青春的回忆。她曾经有一个男朋友。在那早春的日子里，他们常常见面，常常伴着教堂的悠扬的钟声在城垒上散步。

5. 可是，阴暗的浮云遮盖了一切。她的未婚夫的新房变成了一具棺材。她也变成了一个老小姐。她看着这些玩耍的孩子，也看见了自己历史的重演。人生的戏剧在她心里展开。

老 路 灯

吴传珍　改编
陆成涛　绘画

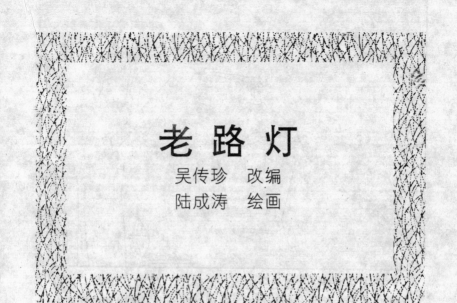

1. 服务了许多许多年、非常和善的老路灯终于老了。今晚是它最后一次照着这条街。想到明天将受到市政府的审查，它便感到恐怖。

2. "明天会把我送去照亮一座桥,还是会被送进工厂熔掉后再改造成别的东西?"路灯烦恼极了。因为它怎么也不愿跟那个守夜人和他的妻子分开。

3. 老路灯一直把守夜人的家当做自己的家。它当路灯时也正是他当守夜人的时候。多少年来,老夫妇非常诚实,从来不私自拿路灯的一滴油,经常照料它、洗擦它,给它加油。

4. 在这最后的一夜里，路灯想起了许多许多的往事：很久以前，曾有一位年轻人在我面前读着恋人写来的第一封信。他读着读着，抬起头告诉我，他真是一个幸福的人。

5. 又一天，街上有一个盛大的送葬行列。棺材里躺着一个美丽的少妇，灵柩车的后面跟着好多的人，有一个人倚着路灯杆子哭泣不止。"我永远忘不了那悲伤的眼睛！"路灯叹息说。

6. 当往事在路灯思想中闪现时，有三个东西来到了它跟前。一个是在黑暗中可以发出亮光的青鱼头，一个是可以燃出火光的朽木，再一个是身体能发光的萤火虫。

7. 这三个东西都认为自己可以接替老路灯的位置。可老路灯说它们哪一个也发不出足够的光，无法完成一个路灯的任务，所以它不能把位置让给它们。

8. 这时，风儿拐了过来对老路灯说："你就要离开这里了。我送你一件礼物吧！我向你脑门吹一下，你就能记住并且能说出所见到的一切事情。"老路灯说："那太好了，我真感谢你。"

9. 接着，一颗流星落下来，形成一条长长的光带。路灯说："这礼物多好呀！它能使我把所能记得和看见的东西也让我所喜欢的人看到。这真使人快乐哩！"

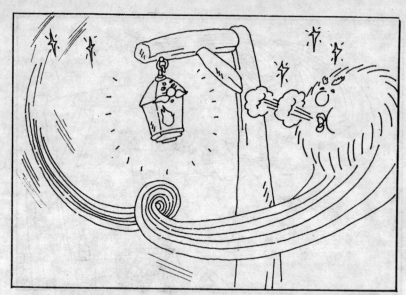

10. "不过你不知道，"风儿说，"为了达到这种目的，蜡烛是必要的。如果你的身体里没有燃着的蜡烛，别人也不会看见你的任何东西。"它说完话便离开了。

11. 第二天，市政府准许守夜人把这盏灯带回家，作为他长期忠实服务的报酬。晚饭时，老夫妻用温柔的眼光望着躺在椅子上的这盏灯。

12. 守夜人同妻子谈着他们几十年来的生活。老路灯听着，头脑变得清醒起来。那一幕幕的情景又清清楚楚地出现在面前。是的，风儿把它弄得亮起来了。

13. 星期天夫妇俩拿出一本游记来读，老太太说："我几乎像是到过那地方一样。"这时，路灯也特别希望自己身体里能有一根蜡烛，好叫老太太能看到她自己想看的一切。

14. 一天，老太太有了一札蜡烛。她用它来照明。路灯想："身体里什么也没有，我又有什么用呢？有什么办法能使他们看到所希望看到的东西呢？"

15. 人们都说老路灯是废料，可老夫妇仍把它擦得干干净净，仍然爱这路灯。一天，老太太走近这盏灯，说："老头子生日到了，我今晚要为他把灯点一下。"于是，老路灯为他们亮了一整夜。

16. 老路灯做了个梦。梦见老夫妇死了，自己被熔铸成烛台，蹲在一个诗人的绿色写字台上。诗人所写的东西都在他的周围展开：有森林，有草原，有在波涛汹涌的海上航行的船。

17. "这一切是多么奇妙啊！"老路灯醒来时说，"我能熔化吗？不成！只要这对老人还活着，我决不离开他们。"从那时起，路灯享受着内心的平安。这个和善的老路灯应当有这种享受。

邻 居 们

吴传珍　改编

陆汝浩　叶冠华　陆筠涛　绘画

1. 平静的水面上，倒映着灌木丛、有燕子窝的农舍。特别是那个开满花朵的大玫瑰花丛从墙上垂下来，映在水里，显得格外美丽。

2. "活着是多么美丽啊!"玫瑰花说,"我真希望吻一下太阳,它
是那么光明和温暖。我也希望吻一下窝里的那些可爱的小鸟,他
们的歌唱得那么温柔。和他们做邻居,真好!"

3. 玫瑰花丛的上方有一个燕子窝。一群麻雀现在住在这里。麻雀
妈妈正嘀咕着:"那些玫瑰花什么也不懂,只会互相呆望,发出一
点香气罢了。对这样的邻居,我真感到腻了!"

4. 一个农家孩子骑着马儿飞奔过来，经过玫瑰花丛时，他摘下一朵插在帽子上。他以为现在把自己打扮得很漂亮。其余的玫瑰花望着她们的妹妹，不知她会被带到什么地方。

5. 麻雀妈妈仍在嘀咕："我们住在这里多好，能使周围的一切活跃起来。那些玫瑰花只会把这地方弄得发潮。她们每年都得凋谢一次，赶快把她们移走吧！"

6. 黄昏，夜莺飞来了。她对玫瑰花唱着赞美的歌。玫瑰花感到很高兴，她们甚至还幻想，那些小麻雀也可能会变成夜莺，也会唱出动听的歌。

7. 小麻雀也在听夜莺唱歌。可他们不懂美是什么意思，便去问妈妈。妈妈回答："什么意思也没有，那不过是一种表面的东西罢了。如果拔掉孔雀的羽毛，就跟我们没有什么两样。"

8. 这农舍里住着一对年轻人。麻雀妈妈见年轻的妻子每个礼拜摘来大把最美的玫瑰花插在瓶里，就感到气愤。她不愿再看到这情景，便丢开自己的孩子，独自飞走了。

9. 不知怎的，她在途中被一群孩子捉住了。孩子们不喜欢她的模样，就给她贴上许多美丽的羽毛。麻雀妈妈很快被装扮成一只金鸟。可她吓得要死，找了个机会赶快逃了出来。

10. 逃啊逃。一路上，所有的麻雀，还有大乌鸦，看到她都不禁大惊失色起来。他们在她的后面穷追，因为他们想要知道，这究竟是一只什么怪鸟儿。

11. 麻雀妈妈一口气飞回家来。她的孩子们叫道："呀，这是小孔雀！这就是'美'呀！"他们用小嘴啄这怪鸟儿。麻雀妈妈吓得魂不附体，连说"我是你们的妈妈"的力气也没有了。

12. 不一会，她的羽毛被啄得精光，全身流着血，坠落到玫瑰花
丛里。玫瑰花可怜她，把她隐藏起来，让她靠着自己。可是，她
还是在这些邻居们的身边死去了。

13. 小麻雀不见妈妈的踪影，埋怨道："妈妈在耍花样。只留下这
空窝，让我们自己找出路。"于是，麻雀们争起房子来。他们用翅
膀打，用嘴啄，接二连三地滚落到地上。

14. 争战的结果,最小的麻雀仍留在窝里,他成了这里的主人。可他也没有逃脱灾难,一次失火烧毁了整个屋子,连同这只小麻雀。不过,别的麻雀都逃出了性命。

15. 玫瑰花仍然很鲜艳、很茂盛,每一根枝条都被映在那平静的水里。她们的美貌被一个画家画了下来,背景是那烧焦了的屋梁和那随时都要倒下的烟囱。

16. 冬去春来。当年逃出去的麻雀又飞回这里来。他们找不着家，便飞进一个花园，飞到一间屋里。他们看见了画家的画——许多盛开的玫瑰花。"这就是美吗?"他们还是看不懂。

17. 又过了许多岁月，麻雀们都成了家，有了小宝宝。当然，他们都认为自己的孩子最漂亮。麻雀中最老的是个老姑娘，她既没有窝，也没有孩子。她飞到大城市哥本哈根去了。

18. 她来到五光十色的多瓦尔生博物馆。这里每间房子都像一朵郁金香。房子里陈列着许多美丽的大理石像。雕刻这些石像的艺术家多瓦尔生就躺在这里。

19. 博物馆院子的中央,有一个茂盛的大玫瑰花丛,她把开满花朵的新鲜枝条在墓上伸展开来。麻雀姑娘说:"这一定就是所谓的'美'了。"

20. 她看见花丛里有许多同伴便飞了进去。在这里，她果然遇到了自己的兄弟和他们的孩子。她的兄弟也疑惑地问："这就是'美'吗？"

21. 麻雀以为玫瑰花成了这地方的主人，以为这整个房子就是为她们而建筑的。人们这么重视玫瑰花，他们不服气，斜着眼望着这些花。不久，他们认出了这些花是自己原来的邻居。

22. 是的, 绘下这丛玫瑰的画家, 得到许可后把她们挖了起来, 送给这个博物馆的建筑师。因为没有比这更美的花了。建筑师把她们栽在多瓦尔生的墓旁。

23. 这些花儿现在开得更艳。作为美的具体形象, 她们贡献出又红又香的花瓣, 让人们带到遥远的国度作为纪念。看到这些麻雀, 花儿点点头, 她们认出了老邻居, 非常高兴。

24. 麻雀感慨道:"原来在池塘边蹲着的玫瑰花真的发迹了。我们不懂,在她们那一大堆红颜色里,有什么了不起的东西;看,那不是一片枯萎的叶子?"于是他们把她啄了一下。

25. 枯叶落下了。玫瑰花丛反而变得更新鲜、更绿了。她们在多瓦尔生的墓上,在太阳光中芬芳地开着。她们的美与多瓦尔生的名字永远在一起。

小 杜 克

吴传珍　改编
赵建华　绘画

1. 小杜克一边抱着小妹妹，一边温习地理。他必须在今天记住瑟
兰主教区所属的一切城市的名字，知道人们应该知道的一切关于
它们的事情。

2. 天慢慢地黑下来，家里没钱买蜡烛，杜克只能在窗子那儿拚命睁大着眼睛看书。这时，一个连路也走不动的洗衣老太婆经过窗前。她要去井里汲水。

3. 小杜克把妹妹交给妈妈，立刻跑过去帮助老太婆打水，并且帮她把水提回家。

4. 当他回到屋里,天黑得看不见字了。他只好躺在旧板凳做的床上想他的功课。他把课本放在枕头底下,听人说,这样可以帮人记住课文。他也想试试。

5. 他想着想着,似乎睡着了。忽然他觉得那老太婆在吻他的眼睛,对他说:"你记不住功课,真可惜。你帮助过我,现在我来帮助你。我们的上帝总是帮助人的。"

6. 枕头底下的书窸窸窣窣地动起来了。"咕！咕！"一只却格镇的母鸡跑出来告诉杜克镇上有多少居民；那儿曾经打过一次仗，"噗！"一只鹦鹉落下来，也对杜克讲起它那儿的情况。

7. 忽然，一位穿着很漂亮的骑士服、戴着发亮的头盔和修长羽毛的骑士，把杜克抱在马鞍前坐着，带他穿过森林向远处驰去。

8.他们来到热闹的城市伏尔丁堡。他看见国王的宫殿上耸立着许多高塔,塔上的窗子里射出亮光,国王瓦尔得马尔正和漂亮的宫女们跳着舞。

9."杜克!"忽然一个水手模样的人站在他身边。水手告诉他,柯苏尔是一个海滨城市。这里有汽船、邮车和非常幽默的诗人。还可以乘着船去周游世界。

10. 杜克仿佛看见海岸上有一座美丽古老的教堂。一股泉水从山上流出来。一位年老的国王坐在近旁。他就是"泉水旁的赫洛尔王"。

11. 这时,丹麦所有的国王和皇后,头上戴着金冠,手挽着手地走进教堂。赫洛尔王对杜克说:"请别忘了这王国的各个省份。"

12. 书又翻了一页。一个年老的锄草农妇过来了。她说她来自苏洛，知道荷尔堡剧本中的某些有趣片断，也全知道关于瓦尔得马尔和亚卜萨龙的事情。

13. 可这农妇忽然又蹲下身来，摇摇头，好像她要跳跃似的。不一会，她变成了一只青蛙，"咽一咽"地叫个不停。这枯燥的叫声令杜克讨厌，讨厌得酣睡起来。

14. 他似乎梦见了自己的小妹妹,梦见一个很大很大的却格鸡养
鸡场,自己变成一个富有而快乐的人,住进了像瓦尔得马尔国王
那样耸入云霄、有许多白塔的房子。

15. 早晨,杜克醒来,跳下床就读书。他一下就懂得了全部功课。洗
衣老太婆把头伸进门来,说:"谢谢你昨天的帮忙。愿上帝使你的
美梦变成事实。"可小杜克完全记不起他做了什么梦。

影 子

吴传珍　改编
方立业　绘画

1. 一位住在寒带的年轻学者来到这个热带国度里漫游。太阳晒得非常厉害，真叫人吃不消，连他的影子也被烤得没精打采的。他只得呆在家里，把门窗整天都关起来。

2. 只有当星星出现在天空时他才觉得自己又有了生气。他走到阳台上，这时人们也纷纷走出家来呼吸新鲜空气。街上活跃起来，有人聊天，有人唱歌……

3. 只有学者住所对面的一间房子是沉寂的。这房子的阳台上有几棵美丽的花。房门开着，里面很黑，隐隐约约有柔和、美妙的乐声飘出。这乐声使人沉浸到甜美的幻想之中。

4. 一天晚上，这学者坐到阳台上，他的影子正射到对面阳台上的花丛中，学者动一动身子，他的影子也就动一下。学者对影子说："你走进那房间去看看，再回来告诉我你看见了什么。"

5. 第二天早晨，学者出去喝咖啡。当他走到太阳光里，忽然发现自己的影子不见了。"影子昨晚真的走开了没有再回来？这真是件怪事儿！"他烦恼起来。

6. 晚上学者又走上阳台，点燃蜡烛放好。他知道影子总是需要主人作为它的掩护的。为了招回影子，这善良的人把自己变小，把自己扩大，喊道："出来！出来！"可一点用也没有。

7. 一星期后，他高兴地发现一个新的影子从腿上生出来。三个星期后，新影子长得又高又大。学者带着他回到北国的自己家里，埋头继续研究"真善美"的问题。

8. 许多年后的一个晚上，学者惊奇地发现，旧影子变成了一个具体的绅士模样的人站在自己的面前。学者像对老朋友似的招待他。

9. 他们谈起当年的情况，学者问旧影子在对面房间里看到了什么。旧影子说："可以告诉您一些情况，但您对任何人也不能说我曾经是您的影子。"学者答应了。

10. 影子说："您对面住的是诗神。在那三个星期里，我学会了许多事情。现在，我成了自由的人了。我会使自己分外的高大，在月光里，我也会让自己比您更显得真实。"

11. "我能看见一些做坏事的人。常把他们的事在报上发表出来。他们既害怕我，又喜欢我。"学者正为研究真善美的问题烦恼着，听了影子的话，更迷惑了。

12. 影子问道："您愿不愿作为我的影子？我将带您一道去旅行。"
学者说："这太过分了。"当今这多的人不理解真善美，更加深了
学者的忧虑。

13. 后来，学者病了。他只得接受影子的提议，一道去温泉疗养。
现在，影子成了主人，而他却成了影子。一路上，影子总是很当
心地显出主人的身份，忠厚的学者却没有想到这一点。

14. 学者真心把影子当作自己的旅伴。可影子说:"现在我不能让您对我说'你',但我倒是很愿意把您称为'你'了。"学者想:"这未免太过火了!"但是他也只好忍受了。

15. 温泉住着许多外国人。其中一位美丽的公主马上与这位新来的绅士聊起天来。她直截了当地对绅士说:"你射不出影子来。"可绅士说:"我恰恰有一个相当不平常的影子!"

16. 他指着不远处的一个人说："我让我的影子成一个独立的人。还让他也有一个自己的影子。"公主非常惊奇，以为他是世界上最聪明、知识最渊博的人，不由对他产生了爱情。

17. 公主是个有分寸的人。她要考察一下绅士，问他一个非常困难、连自己也回答不出的问题。影子做了个鬼脸，说："这个问题，我小时候就知道。请相信，连我的影子也能答出来。"

18. 公主去问站在远处的学者。学者既聪明又正确的回答了公主的问题。公主想："有这样一个聪明影子的人一定不是普通人。选他做丈夫，对于我的国家和人民真是莫大的幸事。"

19. 他们就要回到公主统治的国家里了。"听着，"影子对学者说，"现在我又获得了幸运和权力。你得乖乖地躺在我的脚下，让大家把你叫做影子，永远不准你说你曾经是一个人。"

20. 学者气愤地喊道："你这骗子，你欺骗了公主和她的人民。我要告诉公主，我是人，你是影子，你不过打扮得像个人罢了。"影子恼羞成怒，背着公主把学者送进了监牢。

21. 事后影子对公主说："我遇到一件骇人听闻的事，我那可怜的影子经不起抬举。他幻想他变成了人，而我是他的影子。他怕是永远也恢复不了理智了。"

22. "他真不幸!"公主说,"我看,把他从渺小生命中解脱出来也是一桩善行。还是把他处置了吧!""这未免有点过火,因为他一直是一个很忠实的仆人。"影子装做叹息的样子说。

23. "你真是一个有高贵品质的人。"公主说着,在他面前深深地鞠了一躬。当晚,整个城市大放光明,礼炮齐鸣。这是公主和影子在举行婚礼。可学者一点也没听到,他已经被处决了。

老 房 子

吴传珍　改编

徐谷安　徐冰之　绘画

1. 街上有一幢很老很老的房子，它几乎有300年的历史。其他很新很整齐的房子都不愿与它来往。它的吊窗凸出墙外太远，谁也不能透过窗子看到里边发生的事情。

2. 不过它对面的新房子里有一个孩子常常朝这里张望。他非常喜欢这幢老房子。他看见这房子里住着一个老人。听人说这老人很富有、很孤独，每天只有一个仆人来为他做点事情。

3. 一天，孩子用纸包着个小锡人，托那仆人带给那孤独的老人。不一会，仆人过来问孩子愿不愿意过去拜访那老房子。孩子高兴地去了。

4. 好像是为迎接这孩子似的，老房子台阶上的栏杆更亮了。门上雕刻的号手使劲地吹着喇叭。走廊里挂满古老的画像。阳台上院子里红花绿叶自由自在地生长。

5. 他走进一个房间，墙上全都糊满了猪皮。猪皮上印着金花。墙说："镀金消失得很快，但猪皮永远不坏！"沿墙摆着许多高背椅，它们也热情地请小孩坐下。

6. "小朋友，多谢你送给我锡兵！"老人在客厅里说。所有的家具也挤作一团来看这孩子。墙中央挂着一幅画像，画上的美丽女子也用温和的眼神望着他。

7. 孩子问老人："您孤独吗？"老人说："旧时的回忆以及与回忆相联的事情，都来拜访。现在你也来拜访了，我感到非常快乐！"老人拿出画册，拿出食品来招待他。

8. 立在柜子上的锡兵对孩子说："我再也忍受不了这儿的寂寞。你爸爸妈妈能愉快地在一起聊天，可这老人得不到别人的爱，没有人给他温暖。他只有等待死去。"

9. 小孩劝锡兵不要从悲哀的角度看事情。他觉得有回忆以及与回忆相联的事情来这儿拜访是很令人愉快的。他告诉锡兵说，这儿一切都是可爱的。

10. 许多星期后，孩子又走进老房子里。这里的一切和头一次来时完全一样。锡兵再次对孩子说："回忆来拜访实在令人不愉快。我宁愿上战场牺牲，也不愿……"话没说完，它栽进地缝里不见了。

11. 又有许多星期过去了。窗子上结了冰。孩子在玻璃上用呼气融出个小孔来看老房子。黄昏时，他看见人们抬着棺材出来。老人已经死了，没有人为他送葬。

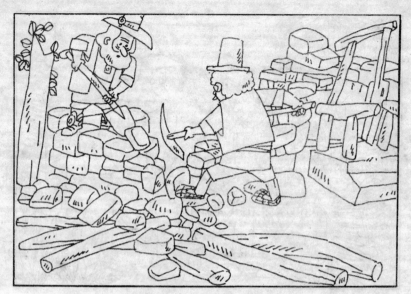

12. 几天后，老房子被拍卖了。老房子里的东西被人搬到这儿，搬到那儿。春天里，老房子被拆掉，墙上贴的猪皮也被拉下来撕碎了。

13. 好多年后，一幢新房子建成，老房子所在地变成了一个花园。那个小孩已经长成了一个有能力的人。他刚结婚，带着妻子住进了这幢有小花园的房子里。

14. 妻子在花园里栽花,什么东西刺着了她的指头。年轻人发现
这正是当年的那个锡兵。于是,他给妻子讲起了关于那座老房子、
那个老人的故事。

15. 年轻的妻子听着听着,眼睛不禁为那老房子和那老人流出泪
来。"让我把这锡兵保存起来吧,以便记住你所告诉我的这些事情。
老人真孤独,不知他被埋在了什么地方。"

16. "是的,可怕的孤独!"锡兵说,"不过,他居然没有被人忘记掉,倒也真使人高兴!"

17. "高兴!"旁边一个声音喊。只有锡兵还看得出这就是那块猪皮。它的样子很像潮湿的泥土,镀金也全没有了。但它还在说:"镀金消失得很快,但猪皮永远不坏!"不过,锡兵不相信这套理论。

一 滴 水

新 园 改编

谢丽芳 吴尚学 绘画

1. 有一位魔法师,他从沟里取出一滴水,用他的放大镜观察起来。

2. 嗨！放大镜里的景象真叫可怕！无数的小生物在乱爬乱动,互相撕打。

3. 魔法师的眼睛都看花了,他往水里滴了一点染料,现在这些生物变成红色了,看起来活像一群裸体的野人。

4. 这时，魔法师的一位朋友来了。魔法师对他说："朋友，你来看这个，你能猜出是什么吗？"

5. 朋友看到一大群人在放大镜下跑着跳着，撕别人的手，咬别人的耳朵——不过有一个小姑娘安静地躲在一边。

6. 这群野人却不放过她，一起冲上去把小姑娘吃掉了。"啊！这一定是个大城市！"朋友叫起来。

7. "不！"魔法师十分得意地说，"这不过是脏水沟里的一滴水罢了！"

幸福的家庭

韩荣刚　改编

陈忠跃　绘画

1. 这个国家最大的绿叶，无疑是牛蒡的叶子了，它大得像围裙，又可作雨伞。牛蒡总是几棵生在一块儿，蜗牛就靠它们活着。古时候，许多大人物把这些白色的大蜗牛做成"碎肉"，因为他们认为蜗牛的味道很美。

2. 这是一座古老的别墅，现在它的主人不再吃蜗牛了，因为蜗牛几乎都死光了，只有牛蒡还活着，长满了花园的小径和花畦，简直成了牛蒡森林。这里只能偶尔看到几株苹果树、梅树，还有就是两只不为人知的最后的蜗牛遗老了。

3. 这两只老蜗牛不知道自己有多大年纪，它们只记得：它们的数量曾经很多很多，而且是一个从外国迁来的家族。整个森林为它们而发展起来，别墅也是为了使它们能够被烹调成美味菜肴并放在银盘子里而存在的。

4. 所以这一对古老的白蜗牛要算是世界上最有身份的人物了。它们过着安宁幸福的生活，它们没有孩子，就收养了一只普通的小蜗牛。小蜗牛个头很小，但是老蜗牛，特别是蜗牛妈妈，看得出它在渐渐长大。

5. 有一天雨下得很大，蜗牛爸爸说："请听牛蒡叶子上的响声——咚咚咚！咚咚咚！"蜗牛妈妈说："这就是雨点，幸亏我们都有自己的房子——我们真是世界上最高贵的人！一生下来就带着房子，这一片牛蒡林也是为我们种植的！"

6. "而且世界上再没有比这儿更好的地方了！外面什么东西也没有！"蜗牛爸爸说。可是蜗牛妈妈说："我倒很想到别墅里让人烹调一下，然后再盛在银盘子里，体验一下我们祖先的光荣呢！"

7. "别墅也许已经塌了！"蜗牛爸爸说，"或者是人们走不进牛蒡林了。我们那个小家伙像你一样性子急，它这三天老往牛蒡树上爬，都吓死我了！"蜗牛妈妈说："你想过没有：远处可能有我们的族人，我们该给小家伙找个妻子了！"

8. 蜗牛爸爸说："我相信那儿住着那些没房子的黑蜗牛,这帮卑贱的东西,偏偏又喜欢摆架子。不过我们可以托蚂蚁去做媒。"蚂蚁说:"我认识一位最美丽的姑娘!它是一位皇后!我怕它不愿意。"

9. "这没问题。"两位老蜗牛说,"它有房子吗?"蚂蚁说:"它有一座宫殿!一座最美丽的蚂蚁宫殿,有700条走廊。"蜗牛妈妈说:"谢谢你了!我们的孩子可不会钻蚂蚁洞,我们还是找白蚁蚋吧,它们见的世面多些。"

10. 蚊蚋说："我们为它找到了一个好妻子。离这儿 100 步远，有个有房子的小蜗牛住在醋栗丛上，它已够结婚年龄，离得又近！"这对老夫妇说："那就让它来找我们的孩子吧！我们拥有整个的牛蒡林，而它只有一个小醋栗丛！"

11. 它们就去请那位小蜗牛姑娘过来，它足足过了八天才到，但这很珍贵，因为这说明它是一个很正经的女子。于是它们就举行了婚礼。六个萤火虫尽力发出光来照着。老蜗牛不喜欢大吵大闹，只有蜗牛妈妈发表了一篇动人的谈话。

12. 它们把整座牛蒡林作为遗产送给了这对年轻夫妇，并告诉它们：这里是世界上最好的地方，只要它们正直地、善良地生活和繁殖下去，它们和它们的孩子就会到那个别墅里去，以便被煮得漆黑，放在银盘子上面。

13. 年轻的蜗牛夫妇就在这座它们自己的森林里生儿育女，但它们从没有经历过祖先的光荣。因此它们认为别墅已经塌了，全世界的人类已经死光。雨点只为它们敲出咚咚的音乐，太阳只为它们而发出亮光。它们过得非常幸福！

母 亲 的 故 事

新 园 改编
史玉娟 绘画

1. 一位母亲睡在她孩子的身边，望着奄奄一息的孩子那苍白的小脸，非常焦虑地叹息着。她已经三天三夜没有合眼了，她慢慢低下沉重的头，不知不觉地睡着了。

2. 这时，一个裹着宽大袍子的老头儿走进来，他在摇篮边的一个椅子上坐了一会儿，便抱起呼吸很困难的孩子走出门去。当母亲惊醒时，她发觉孩子不见了。

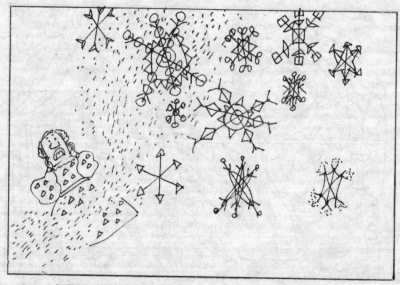

3. 一定是死神把我的孩子带走了！"等一等！还我的孩子！"可怜的母亲发疯似的喊叫着，奔向风雪弥漫的屋外。

4. 一个穿黑袍的女人坐在雪地上，她对母亲说："我是夜之神，我知道你的孩子去哪里了。如果你把唱给孩子听的歌唱给我听，我就可以帮助你！"

5. 母亲说："我把歌儿全都唱给你听，不过，请你一定要帮我找到孩子！"母亲为了找到孩子，只好流着泪，迎着风雪唱着，她唱的歌多，流的泪更多。

6. 夜之神听了歌，说："死神朝右边黑森林里走去了，快去追吧！"
母亲按照夜之神指引的方向追去。不久，路在树林深处消失了，她
不知道往哪儿走了。

7. 地上布满了荆棘，没有叶子，也没有花，在这严寒的冬天，只
有冰柱挂在枝头。母亲问荆棘："你看见死神抱着我的孩子走过去
了吗？"

562

8. "看见过!"荆棘说,"但我快要冻成冰了,除非你把我抱在胸脯上温暖一下,我就告诉你!"母亲毫不犹豫地说:"可以,我愿意温暖你。"

9. 母亲把荆棘抱在自己的胸脯上,她抱得很紧,好使它能够得到温暖。荆棘刺进她的皮肉,她的血一滴一滴地流出来!

10. 荆棘长出了新鲜的绿叶，而且在这寒冷的冬夜竟然开出了花，因为这愁苦的母亲的心是那么地温暖啊！于是荆棘告诉她应该到湖边去找。

11. 来到湖边，母亲望着波浪翻滚的水面发愁了，因为既没有大船也没有木筏，她怎么能到湖对岸去呢！这时湖说话了："我正在搜集珠子，如果你把眼珠给我，我就帮你找到孩子。"

12. "啊,为了孩子,我什么都可以牺牲!"母亲哭着说。于是,她哭得更厉害了,结果她的眼珠坠落到湖里去了,成了两颗最贵重的珍珠。

13. 湖水把母亲托起来,她好像坐在一个秋千架上一样,顺利地过了湖。湖对岸有一座又大又怪的房子,那就是死神住的地方。

14. 母亲来到房子前，她什么也看不见，便大声呼唤："死神呢？他把我的孩子抱到哪里去了呀！"一个专门看守死神温室的老太婆问她："你怎么到这儿来了？"

15. 母亲问老太婆孩子的下落，并请她帮助找到孩子，老太婆说："每个人都有一颗生命之树，树上有一颗跳动的心。不过，我帮你找到孩子，你用什么酬谢我呢？"

16. 母亲说："只要找到孩子,我什么都可以献出来!"老太婆说:
"你的头发又黑又亮,如果你用黑头发换我的白头发,我就可以帮
助你。"

17. 母亲咬着牙,忍痛把自己的黑头发一绺一绺地扯下来,交给
老太婆,老太婆把自己的白头发换给她。这样,母亲终于来到了
死神的温室。

18. 温室里各种奇奇怪怪的花儿丛生着，玻璃钟罩底下培养着美丽的风信子，大朵的、耐寒的牡丹花盛开着，旁边还长着高大的棕榈树、栎树和梧桐树。

19. 这里的每一朵花代表着一个人的生命，母亲走到一朵蓝色的早春花前，她突然听到了自己孩子的心跳。"我找到了！"她叫着，把双手伸向那垂着头的花朵。

20. 母亲用手护着那朵早春花说:"这是属于我的孩子的,我不能失去它!"老太婆也被感动了,说:"请不要动这朵花,当死神回来的时候,你也别让他拔掉这朵花!"

21. 这时,一阵冷风吹进房子里来了,死神一进门就说:"你怎么到这儿来了?"说完,托出两颗眼珠,让母亲重新放进眼窝。

22. 母亲的眼睛又亮了，她望着眼前的这朵花，她的孩子正朝花蕊里走去。死神说："看看吧，这是一朵幸福之花，你的孩子正往幸福中走去！"

23. 母亲看见孩子的周围是一片愉快欢乐的景象，那里没有饥饿、没有苦难和忧愁。她顿时感到莫大的愉快，这不就是自己所日夜盼望的景象吗！

24. 死神说："这里的一切我全让你看到了，怎么样？你是愿意自己忍受失去孩子的痛苦呢，还是希望你的孩子回到你的身边，和你一样受苦？"

25. 母亲连忙说："不！不！请你告诉花朵中我的孩子吧，只要他能得到幸福，再大的苦难我也愿意忍受！请忘记我的眼泪，我的祈求，原谅我刚才所说的和所做的一切吧！"

26. "我不懂你的意思!"死神说,"你是想把孩子抱回去呢,还是让我把他带到一个你所不知道的地方去呢?"母亲扭着双手,双膝跪下来,说:"请把他带走吧,带走吧!"

27. 母亲把头低低地垂下来,在她虔诚的祈祷声中,死神带着她的孩子飞走了,飞到那个遥远的,不知名的国度里去了!

衬衫领子

韩荣刚　改编

徐秀君　绘画

1. 从前有一位漂亮的绅士，他所有的财产只是一个脱靴器和一把梳子。不过他有一个世界上最好的衬衫领子。衬衫领子的年纪已经很大，足够考虑结婚的问题了。凑巧，这天他和袜带混在一块儿洗。

2.“天啊！”衬衫领子说，“我还从没见过这么苗条娇嫩，这么温柔迷人的人儿！请问尊姓大名？府上在什么地方？”袜带非常害羞，只回答：“我可不能告诉你！”

3.“我想你是一根腰带吧？”衬衫领子说，“一种内衣的腰带！亲爱的小姐，我看得出，你既有用，又可以做装饰品，你真是个美人儿！”“你不该跟我讲这种话！”袜带说，“请不要靠近我！你很像一个男人！”

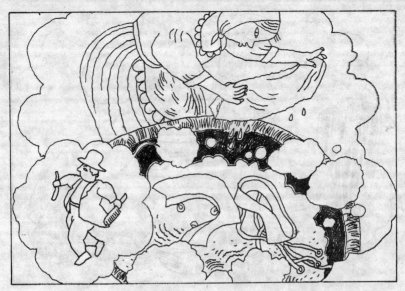

4. "我还是一位漂亮的绅士呢!"衬衫领子说,"我有一个脱靴器和一把梳子!"他吹起牛来了,因为那两样东西是他主人的。"请离远点!"袜带说,"我不习惯这样做。""哼!你这简直是装腔作势!"衬衫领子说。

5. 这时他就被取出水来,上了浆,挂在一张椅子上晒,最后又被拿到熨斗板上。现在来了一个滚烫的熨斗。"太太!"衬衫领子对熨斗说,"亲爱的寡妇太太!我现在成了另外一个人,我的皱纹全没了,噢,我要向你求婚!"

6. "你这个老破烂!"熨斗说。同时骄傲地在衬衫领子身上走过去,想象着自己是一架火车头,拖着一长串列车在铁轨上奔驰。"你才是个老破烂!"衬衫领子生气地回敬。

7. 衬衫领子的边上有些破损,因此有一把剪刀来把这些破损的地方剪平。"哎哟!"衬衫领子说,"你一定是一位芭蕾舞舞蹈家!你的腿伸得多直啊!我从没有看见过这样美丽的姿态!世上没有任何人能模仿你!"

8. "这我知道!"剪子说。"你配得上做一位伯爵夫人!"衬衫领子说,"我拥有一位漂亮绅士,一把脱靴器和一把梳子。我只希望再有一个伯爵头衔!""难道他还想求婚不成!"剪刀生起气来,结结实实地剪了他一下。他受了重伤。

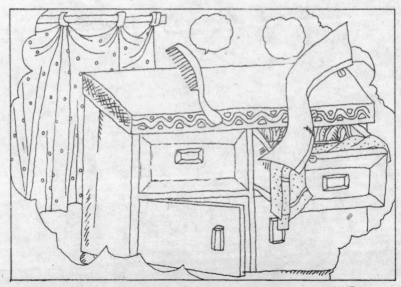

9. "我还是向梳子求婚的好!"衬衫领子于是又对梳子说,"亲爱的姑娘!你真了不起!你把牙齿保护得多好!你从来没想过订婚的问题吗?""当然想到过!"梳子说,"我已经跟脱靴器订婚了!""订婚了?!"衬衫领子失望地说。

10. 他再也没有求婚的机会了。因此他瞧不起爱情这东西。过了很久，衬衫领子来到一个造纸厂的箱子里。周围也都是一些烂布朋友，他们要讲的事情可真多，不过衬衫领子讲得最多，因为他是一个可怕的牛皮大王。

11. "我有过一大堆情人！"他说，"我连半小时的安静都没有！我又是一个漂亮绅士，一个上了浆的人。我既有脱靴器，又有梳子，但我从来不用！你们想象得出我那时不理人的神情吗？"

12. 他接着吹嘘:"我永远也不能忘记我的初恋——那是一根腰带。她那么娇嫩,那么温柔,那么迷人!她为了我而自愿投进一个水盆里去!后来又有一个火热的寡妇,拼命追求我,可我没理她,气得她满脸青黑!"

13. 他又说:"接着来了芭蕾舞蹈家。她伤害了我至今还没好——她的脾气真坏!我的梳子倒是对我钟情,她因为失恋把牙都弄掉了。我是一个情场老将!不过那根腰带使我感到很难过——她为我跳进水盆里,我良心非常不安。"

14. "我情愿变成一张白纸!"结果,所有的烂布都变成了白纸,而衬衫领子成了我们眼前的这张纸——这个故事就印在这张纸上。这是由于他喜欢把从来没有过的事情瞎吹一通的缘故。

15. 这一点我们一定要记清楚,免得我们干出衬衫领子那样的事。因为我们有一天也会来到一个烂布箱里,变成白纸,我们全部的历史,连最秘密的事情也会印在这纸上,结果我们不得不像衬衫领子一样,到处讲这个故事。

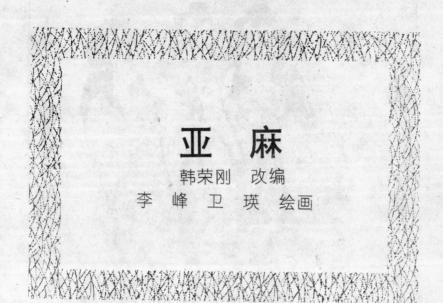

亚 麻

韩荣刚 改编

李峰 卫瑛 绘画

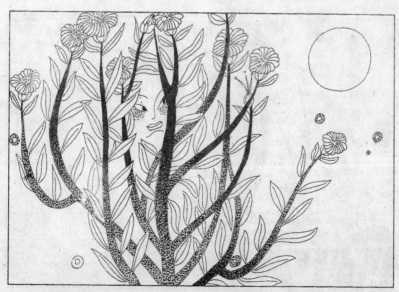

1. 一棵亚麻开满了美丽的蓝花，花朵比飞蛾的翅膀还要柔软。阳光爱抚着亚麻，雨露滋润着它，就好像一个孩子洗干净后，又得到妈妈一个甜蜜的吻一样，变得更加可爱。

2. 人们说，它长得太好了，又美又长，将来会织成很好看的布。
亚麻也自豪地说："嗨，我是多么幸运啊！阳光多么使人快乐！雨
的味道多么新鲜！我是一切东西中最幸运的了！"

3 旁边的篱笆桩说："对！你还不了解这个世界，但我们了解，因
为我们身上长了节。"它们发出了悲观的吱吱格格的声音："吱——
格——嗫，拍——呼——吁，歌儿完了。"

4. "可是歌儿并没有完啊!"亚麻说,"明天早晨太阳又会出来,雨又会使人愉快。我能听见我在生长的声音,我感觉得出我在开花!我是万物中最幸运的!"

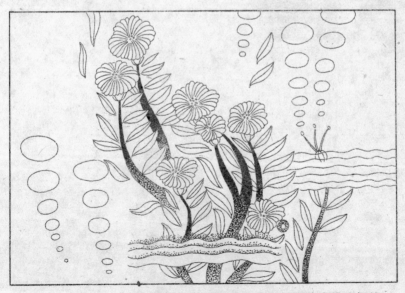

5. 但是有一天,人们走过来,捏着亚麻的头,把它从土里连根拔起来。它受了伤。接着人们把它放进水里,好像要淹死它似的;然后又把它放到火上,好像要烤死它一样。真可怕!

6. "一个人不能永远过着幸福的时光!"亚麻安慰自己,"应该吃点苦,才能懂得一些事情。"不过更糟糕的时刻来了,亚麻被折断了,撕碎了,揉打了,梳理了一通,不知怎么的,它又被装上一架纺车。

7. 纺车"吱格!吱格"的声音,弄得它头昏脑胀,只能在痛苦中回忆:"我以前是非常幸运的!一个人在幸福的时候应该知道快乐!快乐!快乐!"当它被装到织布机上的时候,它仍然这样说着。

8. 于是它被织成了一大块美丽的布，每一根亚麻，都织进了这块布。"这真是出人意料！我是多么幸福啊！篱笆桩那样唱是有道理的，可是歌儿一点也不能算是完了！我的苦没有白吃，我是多么结实、多么柔和、多白多长啊！"

9. 现在和以前相比，真是完全两样。每天有女仆来照料它，给它洗淋浴。牧师太太还在演讲中称赞它是最好的一块布。亚麻想道："没有比这更幸福了！"

10. 然后这块布又来到屋子里，受到剪裁、针刺，变成了一件衣服的 12 个没有名字却不可缺少的部分。"嗨！我现在算是对世界有点用处了——这才是真正的幸福。我们变成了 12 件东西，但同时又是一个整体。真是幸运！"

11. 许多年过去了，它们再也无法按自己的意愿守在一起了。它们被撕成了烂布片，剁细了，水煮了，最后它们变成了美丽的白纸。"哎哟，这真是件可爱的奇事！"纸说，"我更美了，人们将在我身上写字，这真是绝顶的好运气！"

12. 它上面写满了字，写了最美丽的故事。人们听着这些智慧和美好的故事，也会变得更智慧和美好。这些字是最大的幸福。"这比我是一朵田野的小蓝花时梦想到的都美妙得多，我怎能想到能在人类中间散布快乐和知识呢！"

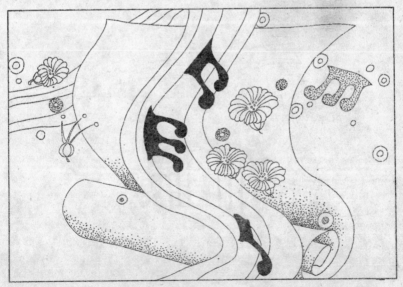

13. 纸说："我只尽了自己微弱的力量，却不停地得到快乐和光荣。每当我想起'歌儿完了'的时候，歌儿却以更高贵、更美好的方式重新开始。我每一朵蓝花都变成了最美丽的思想，现在还要到世界各地去旅行，让人人都读到我。"

14. 不过纸并没有去旅行，却到一个印刷所里去了。它上面所写的东西都被排印成了书，几千几万本的书，将使无数的人从中得到快乐和好处。这比起写在纸上、周游世界不到半路就会毁坏的情况来，要好得多。

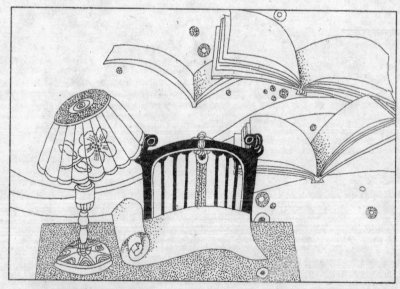

15. "这真是最聪明的办法!"写上了字的纸想，"我将呆在家里，受人尊敬，像一位老祖父一样! 我不动，而是书本到各处旅行。我现在的确能够做点事情，我是多么幸福，多么快乐啊!"

16. 于是纸被卷成一个小卷，放到了书架上。它又想道："工作以后休息一阵是很好的，可以集中思想，想一想自己肚子里有些什么——现在我第一次知道我有些什么本事，认识自己就是进步：我仍然会前进，不管我变成什么！"

17. 有一天纸被放到炉子上要烧掉了，屋里的孩子们都围成一团，他们要看着它烧起来，要看着火灰里的那些火星，这些火星一个接一个地熄灭了。这很像放学的孩子，最后的一颗火星就是老师：他总是在大家的后面离开教室。

18. 纸卷放在火上，很快地变成了一朵明亮的焰花。焰花升得很高，亚麻从来没能把它的小蓝花开得这样高过。它也发出白麻布从来发不出的闪光。它上面的字全变成红色，那些词句和思想都成了火焰。

19. "现在我要向太阳升去了！"火焰中有个声音说，像是一千个声音的合唱。焰花从烟囱一直跑到空中，那里浮动着比焰花还细小的、看不见的生物，像亚麻的花朵一样多，比产生它们的火焰还要轻。

20. 当火焰熄灭，纸只剩下一撮黑灰时，这些生物还在灰上跳了一次舞，小火星就是它们留下的痕迹。孩子们站在死灰的周围，唱出一支歌：吱——格——嘘，拍——呼——吁！歌儿完了！"

21. 不过那些细小的、看不见的小生物都说："歌儿是永远不会完的！这是一切歌中最好的一支歌！我知道这一点，所以我是最幸福的！"虽然孩子们既听不见，也不懂这话，但总有一天他们会听得见，会懂这些话的。

凤 凰

韩荣刚　改编
史　俊　绘画

1. 在天国花园里，在知识树下，有一丛玫瑰花。那第一朵开放的玫瑰花，生出了一只鸟。它飞起来像一道闪电，它的色彩华丽，它的歌声无比美妙。

2. 不过，在人类的母亲夏娃摘下那颗知识之果时，当她和人类的
父亲亚当被上帝逐出天国花园时，有一点火星从复仇天使的火剑
上落到这鸟儿的巢里，鸟儿就在熊熊燃起的火焰中烧死了。

3. 可是从巢里那只火红的蛋中又飞出一只新的鸟儿——世界上唯
一的凤凰。神话中说，这只凤凰住在阿拉伯，它每过 100 年就要
将自己在巢里烧死一次。不过每次总有一个新的凤凰——世界上
唯一的凤凰——从红蛋中飞出来。

4. 这只凤凰就在我们周围飞翔。当母亲坐在孩子的摇篮旁的时候，它就站在枕头上，拍着翅膀，在孩子的头上形成一个光圈。它飞过这朴素的房间，这里便充满了阳光，那张简陋的桌上也发出紫罗兰花的香气。

5. 凤凰不仅仅是阿拉伯的鸟儿，它在北极光的微曦中飞过北欧冰冻的原野；在格陵兰短暂的夏天里，从黄花中飞过，在瑞典的铜山下、在英国的煤矿里，它是一只沾满灰尘的飞蛾，在虔诚的矿工膝上摊开的那本《圣诗》上面飞。

6. 它在一片荷叶上，顺着恒河的圣水向下流，印度姑娘一看到它，眼睛里就闪出亮光。这只凤凰！你不认识它吗？这只天国的鸟儿，这只歌中神圣的天鹅！

7. 它作为多嘴的乌鸦，坐在希腊诗人德斯比斯的车上，拍着布满渣滓的黑翅膀。它用天鹅的红嘴在冰岛的竖琴上弹奏。作为上帝的乌鸦坐在莎士比亚的肩上，在他耳边低声说："不朽！"它在德国瓦特堡吟游诗人的赛诗声中飞翔。

8. 这只凤凰！它对你唱着《马赛曲》；你吻着从它翅膀上落下的羽毛。它从天国的光辉中飞下时，也许你却掉头去看那带着银纸的麻雀。它的镶着金像框的画像悬在有钱人的大厅里，但它自己常常是孤独地飞来飞去。

9. 这天国的鸟儿！阿拉伯的凤凰！你每一个世纪重生一次——从火焰中诞生，在火焰中死亡。在天国花园里，在知识树下，你从那第一朵玫瑰花里出生的时候，上帝吻了你，给了你一个正确的名字——"诗"。

一个故事

新 园 改编
马恩生 绘画

1. 瞧啊！这是多么好的一个礼拜天！苹果树开着花，小麦田里一片青翠，教堂的钟响着，每个人都高高兴兴的。

2. 教堂的牧师在讲道:"上帝不会饶恕那些罪人的!他们要在地狱永远受火烧!"这说法真可怕,但太阳依然在窗外愉快地照着。

3. 晚上,牧师太太对他说:"亲爱的,我不相信罪人像你说的那么多,你说的刑罚太可怕了!"

4.秋天来了,树叶子落下来盖在牧师太太的眼睛上,她死了。

5.这天夜里,牧师看到了妻子的幽灵,她用一种悲哀的口气说:"请你帮我找一根你所说的罪人的头发吧!"

6. 一阵大风把牧师吹起来,他来到了一座城市。这里的罪恶真多
　——骄傲、凶残、贪婪、任性……

7. 牧师开始去找一个罪恶最深重的坏人了,他先来到一座豪华的
大厦前。

8. 房子的主人得意洋洋地向客人炫耀，然后，这些有钱人开始大吃大喝起来。牧师摇摇头说："这不算什么，这只是一群傻瓜。"

9. 牧师来到了一条贫穷的小巷，但在最破烂的屋子里，他看到一个干瘦的老头儿正在数无数的金币。

10. "这是一个老吝啬鬼！看他的衣服多么破！"牧师想，"比他更该下地狱的坏人多的是！"

11. 这里的罪犯才该下地狱呢！牧师来到了死刑犯的监狱，找到了一个死囚。

12. 他伸出手,刚要拔掉这死囚的一根头发,突然,死囚跳起来,大声说:"啊!我是多么痛苦啊!"

13. "上次,我不小心烧着了主人的房子,我拚命地救火,可还是有条狗被烧死了。现在,这狗一直让我痛苦啊!"

14. 牧师的手颤抖起来,眼泪顺着他严峻的脸淌了下来,他跪下来说:"上帝啊,我错了,哪怕是坏人也有一点良心呀!"

15. 这时,牧师看到了一片明朗的阳光,是啊,对于上帝无边无际的爱,谁不是罪人呢?但对于上帝永恒的慈悲,罪恶是可以宽恕的。

一本不说话的书

韩荣刚　改编

徐秀君　绘画

1. 在公路旁一个孤独的农庄里，在一座紫丁香花组成的凉亭下，停了一口敞着的棺材，里面躺着一个死人，这天上午就要入葬。没有任何人来悼念他，只有一本厚书垫在他白布覆盖着的头下面，作为陪葬。

2. 那书是由一整张灰纸折叠成的，每一页都夹着一朵被遗忘的萎谢了的花。这是一本完整的植物标本。每朵花都是从不同的地方搜集来的，都记录着他生命的一页。他是谁呢？

3. 他是瑞典一所古老的大学乌卜萨拉的一个老学生，他曾是一个活泼的年轻人，懂得古代的文字，会唱歌，甚至还写诗。但由于某种打击，他把生命和思想沉浸到烧酒里，最后损害了健康，他就搬到这个农庄来住。

4. 当他心情快乐的时候，他纯洁得就像个孩子，在森林里跑来跑去，活泼得像一只被猎人追逐的雄鹿，没有一刻安宁。

5. 不过只要他被叫回家来，让他看这本装满了枯干植物的书，他就常会呆坐一整天，一会儿看看这种植物，一会儿又看看那种。有时眼泪就顺着脸颊流下来——只有上帝才知道他在想些什么！

6. 他留下遗嘱，要这本书伴他到地下。现在，他的面布揭开了，马上就要钉上棺材盖子了。只见他的脸上露出一种安详和平的表情，沐浴在最后一丝阳光里。一只燕子箭也似飞进凉亭打了个转儿，在死人头上呢喃了几声。

7. 假如我们把许多年前的旧信拿出来读读，会有一种多么奇怪的感觉啊！整个一生和生命中的希望、哀愁又会浮现在眼前。一想起那些亲近的人，虽然有的可能已经死去，但我们仿佛感到永远会和他们生活在一起。

8. 这书里有一片枯萎了的槲树叶子。它使这书的主人记起一个老朋友、老同学，一个终身的友伴。他在一片绿林里把它插在学生帽上，从此结为"终身的"朋友。现在他在什么地方呢？叶子保存下来了，但是友情已经忘记了！

9. 这儿有一棵异国的、在温室里培育的植物；对于寒冷的北国花园来说，它是太娇嫩了；它的叶子似乎还保留着香气——这是一位贵族花园的小姐摘下来送给他的。

10. 这儿有一朵睡莲，他亲手把它从甜水里摘下来，并用他的眼泪把它润湿过。这儿有一根荨麻，一朵幽居在森林里的铃兰花，有一朵从酒店的花盆里摘下来的金银花，还有一片尖尖的草叶！这些，又说明了什么呢？

11. 怒放的紫丁香在死者头上轻轻垂下它新鲜的、芬芳的花簇。燕子又飞过去了，"唧唧"叫着。人们这时拿着钉子和锤子走来了。棺材盖上了——他的头在这本不说话的书上安息。埋葬了——遗忘了！

区　别

韩荣刚　改编
马恩生　绘画

1. 春天来了，到处都开满了花，从田野到草原，从大树到灌木丛组成的篱笆。春天就在这儿讲故事，在一棵小苹果树上讲，它有一根鲜艳的绿枝，上面布满了粉红色的、细嫩的、快要开放的花苞，真是春天的宠儿！

2. 苹果枝知道它是多么美丽。当一位年轻的伯爵夫人来到它面前，说它是世界上最美丽的东西，是春天最美丽的表现时，它一点儿也不惊奇。接着它就被折断了，握在伯爵夫人的手中，上了车，来到一所华丽的贵族别墅。

3. 这里有许多高大的厅堂和美丽的房间。洁白的窗帘在敞着的窗子上随风飘扬，好看的花儿在透明的、发光的花瓶里亭亭玉立着。苹果枝就插到几根新鲜的山毛榉枝子中间，看它一眼都使人感到愉快，于是它难免变得骄傲起来。

4. 各色各样的人走过这房间，根据自己的身份表示他们的赞赏。苹果枝知道了，在人类中间，正如在植物中间一样，也存在着区别。它想："有些东西是为了好看，有些则为了实用，但有些却是完全没有用处。"

5. 从敞着的窗子望出去，苹果枝可以看到花园和田野，那些花儿和植物，可供它思考。"可怜的没人理的植物啊！"它说，"的确，一切东西都有区别，有富贵和贫贱之分，如果这些贫贱的植物也和我一样有感觉，它们会感到多痛苦啊！"

6. 苹果枝对那些田里和沟里丛生的花儿特别怜悯，它们太普通了，在铺路石中间都可见到。它们像野草一样，遍地都是，甚至连名都很丑，叫什么"魔鬼的奶桶"（就是蒲公英），因为它们一折断就会冒出牛奶似的粘浆。

7. "可怜的被人瞧不起的植物啊！"苹果枝说，"不过这也不能怪你们自己！在植物中间，正如在人类中间一样，一切都有区别啊！""区别？"阳光不同意。它吻着盛开的苹果枝，同时也吻着田野里那些下贱的黄色的"魔鬼的奶桶"。

8. 苹果枝从没想到，造物主对一切生命都一样给以无限的慈爱。美和善可能会被掩盖，但是并没有被忘记。这些，明亮的太阳光知道得更清楚，它对苹果枝说："你的眼光有毛病！你特别怜悯的、没人理的植物，是哪些呢？"

9. "'魔鬼的奶桶'！"苹果枝说，"人们从来不把它扎成花束，而是把它踩在脚下。它们结子的时候，就像小片的羊毛，到处乱飞，还附在人的衣上。它们不过是野草罢了——也只能是野草！谢天谢地，我不是它们这类植物的一员！"

10. 田野来了一大群孩子，其中最小的一个还要别人抱着。当他被放到这些黄花中间时，他乐得大笑起来，小腿乱踢，遍地打滚。他摘下黄花，天真地吻着它们。那些大些的孩子折下黄花的梗子，一根接一根地串成了链子。

11. 他们先做一个项链，再做挂在肩上的、系在腰上的、悬在胸前的、戴在头上的链子，真像是一个绿环子和绿链子的博览会。他们又小心翼翼地将那些白绒球一样的果实连梗折下，放在嘴边，想要一口气把整朵绒球吹走。

12. 这些像羽毛、雪花和茸毛的绒球，这些小小的完美的艺术品，因为祖母说过：谁能一口气把它吹走，就可以在新年到来以前得到一套新衣，所以它们现在就成了真正的预言家。

13. 太阳光对苹果枝说："你现在看到它的美和力量了吧?"苹果枝说："但它只是和孩子在一起时才这样。"这时又有一个老太婆到田野里来了，把这花从土里挖出来，她准备把这花的根用来煮咖啡，或是当药卖。

14. "不过美是一种高贵的东西呀！只有少数特殊的人才能走进美的王国。"苹果枝坚持说万物都有区别。太阳光就谈起造物主对一切东西永远公平合理的分配，对一切东西的无限的爱。"是的，这只是你的看法！"苹果枝说。

15. 这时那位年轻美丽的伯爵夫人走进房间里来了，她拿着一朵花一样的东西，它被三四片大叶子遮盖住了，它们像帽子似地保护着它。伯爵夫人把它小心翼翼地端在手中，这是那根娇嫩的苹果枝也从没有享受过的待遇。

16. 她轻轻拨开那几片叶子，一个柔嫩的白绒球出现了，这就是被人瞧不起的"魔鬼的奶桶"！她把它完整地带回家来，那么小心，那么谨慎。她赞美它漂亮的姿态，透明的外表，和那缥缈的美："看吧！造物主把它创造得多美啊！"

17. 她说："大家都说这根苹果枝漂亮非凡，不过这朵微贱的花儿，以另一种方式从上天得到了同样多的恩惠。它们虽有区别，但它们都是美的王国中的孩子。"于是，这苹果枝盛开的花瓣似乎泛出了一阵难为情的羞红。

老墓碑

蔡明村　改编
朱慧娟　绘画

1. 在一个乡村镇里，在一个温暖舒适的夜晚，一家人在谈论院子
中美丽月光下躺着的那块大石头，那是一个古老的墓碑。

2. 这家的主人说,那石头是他去世了的父亲从已拆除的老修道院买来的。他的大儿子说:"墓碑上的字几乎全模糊了,只有在下雨之后才可以认出'卜列本'和'玛尔塔'几个字。"

3. "天哪,那是卜列本·斯万尼和他妻子的墓碑!"一个老祖父模样的人说。他小时就认识这对相亲相爱的夫妇,周围的人也都非常喜爱并敬重他们。

4. 传说他们的金子一桶也装不完,虽然他们自己生活简朴,但对穷人却十分慈善:总是送些衣物或食品接济那些生活困窘的人。

5. 老太太先去世。我清楚地记得爸爸牵着我去卜列本家时,老头儿在玛尔塔躺着的床前伤心地哭得像一个孩子。

6. 老卜列本向我们回忆他年轻时找各种理由去看望美丽的玛尔塔,并谈起他们订婚、结婚的那些日子,他的双颊红润起来,眼睛也闪闪发亮,似乎回到那幸福的日子。

7. 我记得入葬那天,老卜列本一步步紧跟在棺材后面。墓地上立着老俩口早就准备好的墓碑,上面刻着他们的名字和碑文,只是没填上去世的时间。

8. 一年后，老卜列本也在他妻子身边躺下了，市政府拆除了他们那栋腐朽的木房，人们发现，他们并没有什么钱财。唉！现在谁也记不得他们了。讲故事的老人悲哀地摇摇头。

9. 当屋里的人们开始谈别的事时，一个小男孩爬到窗前的椅子上，严肃地望着院中明朗月光照映着的墓碑。那是一本书，记着老卜列本和玛尔塔的故事。

624

10. 这时,有一个别人看不见的小天使飞来吻了小男孩的前额,同时轻声对他说:"好好地保藏你心灵中那颗善良的种子吧,一直到它成熟的时候!"

11. 天使告诉孩子:美和善的东西是永远不会被遗忘的。它会成熟、开花,成为一首诗,会在传说中永生。我们总会看到那对老夫妻手挽手在街上走过,对过往的人点头送去一份爱。

世上最美的玫瑰花

蔡明村　改编

徐秀君　绘画

1. 从前有一位皇后，她的花园里一年四季都种植着从世界各地移栽的最美的花。皇后特别喜爱玫瑰，她有各色各样的玫瑰花。

2. 这些玫瑰爬上宫殿的墙壁，攀上廊柱和窗架，一直伸进大殿里。可是大殿里却充满了忧虑和悲哀：皇后病危了，一些御医认为她的生命没有希望了。

3. 一位最聪明的御医说："只有一件东西可以救她，就是在她眼睛没有闭上之前送给她一朵世界上最美丽的、象征最高尚最纯洁的爱情的玫瑰花。"

4. 全国各地的年轻人和老年人，都送来了他们能采摘到的最美的玫瑰花，但都不能医治皇后的病。因为这些花没有表示出最高尚和最纯洁的爱情。

5. 一个幸福的母亲带着她娇嫩的孩子来到皇后床边说："那朵玫瑰是从我的孩子甜蜜的脸上开出的，他每天醒来都对我发出充满纯洁的爱的微笑。"聪明的御医说："这朵花是够美了，但不是最美的。"

6. 另一个女人说:"我看见皇后在悲哀的长夜里抱着生病的王子哭泣,痛苦地祈求上帝保佑王子,这时她没有血色的脸就像高尚神圣的白玫瑰。"聪明的御医说:"悲哀的白玫瑰也不是我们所寻找的那朵花。"

7. 虔诚的老主教说:"我在祭坛上,见到年轻的姑娘在受洗礼时,她们抬头仰望上帝,那朵充满纯洁高尚爱情的玫瑰在她们鲜嫩的脸上开了。"聪明的御医说:"这朵也不是。"

629

8. 这时皇后的小儿子走了进来，泪水像珍珠一样不断地从他的眼睛里滚落。他手里捧着一本打开的厚书，天鹅绒封面上订着银质的大扣子。

9. 王子对皇后说："妈妈，我给你念个故事吧。"于是王子念着书中关于耶稣为了拯救人类在十字架上牺牲了自己的生命……

10. 听着听着，皇后的脸上露出一片玫瑰色的光彩；听着听着，皇后的眼睛变得又明又亮。她说："没有什么爱能够比这更伟大！"

11. 皇后从王子朗读的书中看到了世界上最美丽的那朵玫瑰花，那是十字架上基督的血里绽开的一朵玫瑰花。她说："看到了这朵花的人永远不会死亡。"

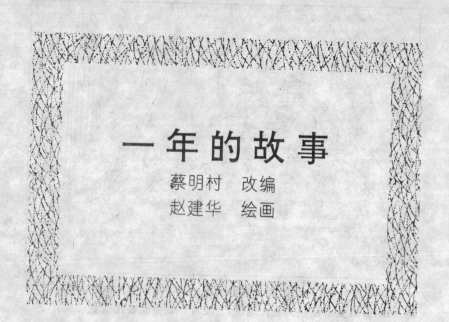

一年的故事

蔡明村　改编

赵建华　绘画

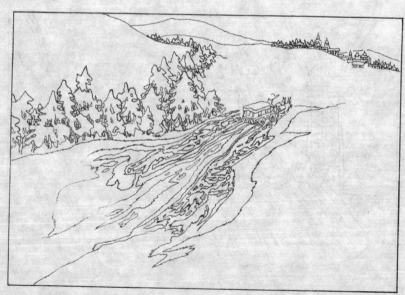

1. 可怕的暴风雪呼啸着，马车只能在深雪中慢慢移动。天黑的时候，天气晴朗起来。天空显得像打扫过似的，更高阔透明，崭新的星星分外地明亮。

2. 经过一夜冷冻，积雪地表面变硬了。几只麻雀蹦蹦跳跳，因为找不到吃的，它们发牢骚："人们在庆贺新年，这个新年糟透了，还不如把那个旧年留下来好。"

3. 一只头上有撮白羽毛的老麻雀说："人们发明了日历，但是他们把时间弄错了。只有春天来了，一年才算开始：鹳鸟飞回时，春天就来了。"

4. 麻雀们决定飞到乡下去等候春天。在那里，它们看到了长着很长白头发、白胡子和一双又大又蓝的眼睛的冬天老人。他是快要到来的"春天王子"的保护人。

5. 几个星期过去了，从南方飞来了两只鹳鸟，鸟背上各坐着一个王子和一个公主。他们挽着手走向冬天老人。向他致敬。冬天老人就消失了，王子和公主经过的地方开出了鲜花。

6. 小公主将围裙里兜满的花儿撒向四方，绿草像地毯般慢慢展开，麦田也染上活泼的绿色。王子拍着手，不知从哪里飞来许多鸟儿，它们啁啾地唱："春天来了！"

7. 老奶奶们从屋里蹒跚地走出来，在阳光下，她们觉得世界又年轻了，遍地开放着紫罗兰和樱草花，远处的森林一片葱绿。"世界多美好啊！"老奶奶满脸皱纹像花一样展开。

8. 春天王子和公主坐在点缀着百花的绿草毯上唱着歌。毛毛细雨向他们飘洒，雨滴和他们幸福的泪珠融在一起，他们亲吻着结成夫妻。云中的太阳给他们镀上一层金。

9. 许多日子过去了，热浪从变黄的麦田里涌来。明镜般的湖里，鱼儿躲到睡莲旁圆圆的绿叶下歇凉。已经长成美丽的"夏天"少妇的公主，正注视着遥远的天边。

10. 天边，乌云聚集着。像重叠的山峰一层比一层高。人们都在忙于找地方避雨。耀眼的闪电把一切吞没，轰隆的雷声又把黑暗带回，树林笼罩在雨雾里，芦苇在风中舞蹈。

11. 云开雨歇，黄昏的天空射出金光。健壮的"夏天"王子领着鸟儿歌唱，鱼儿从湖水中跳出来，大自然经过洗浴后，显得更丰茂、更美丽。

12. 夏天和他美丽的妻子依偎在苹果树下安静地休息。公主说："多么舒适啊，可是这些树怎么不像南方的树那样结出金黄的果实呢?"王子说："你想看到吗？那么请欣赏吧。"

13. 王子举起手臂，树林的叶子就染上一片深红和金黄，玫瑰花里亮着鲜红的籽，果树结满了丰硕的果实而弯下了枝干。人们在田野里唱着丰收的歌。

14. 公主成为了这一年的皇后，但她却一天天地变得沉寂和惨白。她说："风吹得冷起来了，夜带来了潮雾，鹳鸟也都飞走了，我渴望回到故乡去。"

15. 森林里的树叶枯黄了，狂暴的秋风将它们一片片刮下。皇后躺在落叶上，这年的国王站在她身边。一阵风从落叶上扫过，皇后不见了，一只蝴蝶在寒冷的空中飞去。

16. 冰冷的风和漫长的黑夜来到了，这年的国王的头发都变得雪白了。他听见教堂敲响了圣诞节的钟声。他想：新的国王和王后要出生了，我将像我的妻子一样，到那明亮的星儿上去休息。

17. 圣诞节的天使对他说："你还不能休息，要让雪花温暖地盖在年幼的种子上。"于是，他坚强地坐在山顶的积雪上，守护着大地，等待春天到来。

18. 这时，麻雀又从城里飞出来了。它们很讨厌那个长满长长白发和白胡子的冬天老人，它们说春天来了就好了。这年的国王捏紧拳头忍耐着，坐在山顶向南方了望。

19. 雪开始融化了，第一只鹳鸟高高地从空中飞来，接着第二只也来了。两个美丽的孩子从鸟背上走下来，吻了大地，也吻了那个沉默的老人，老人便在一团迷濛的雾气中不见了。

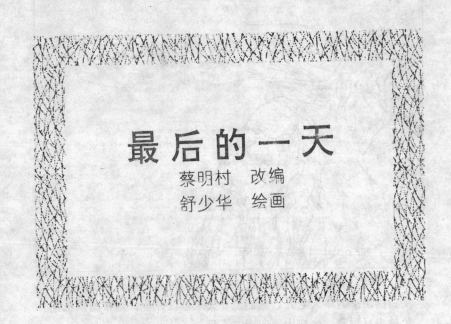

最后的一天

蔡明村　改编

舒少华　绘画

1. 从前，有个人是上帝的忠实信徒。他对上帝的话，像对法律一样言听计从。他把自己当作上帝最热忱的仆人。

2. 在他临终那天，严肃神圣的死神飞到他床边，用冰冷的手摸摸他说："时间到了，请你跟我来吧！"

3. 他不像罪孽深重的人那样害怕得发抖，他的灵魂跟着死神飞走，临走前，灵魂看了一眼躺在床上裹着白尸布的自己的躯壳。

4. 死神带着灵魂飞向一座森林，那里在举行化装舞会。不论是高贵的有权有势的人，还是卑微渺小的人，都或多或少地化了装。死神告诉他："这就是人生。"

5. 人们的外衣下都藏着某种秘密的东西，每个人都不愿别人揭开他的外衣，每个人又想把别人的外衣撕开。那里有丑陋的山羊、粘粘的蛇、冷笑的猴、呆板的鱼……

6. 灵魂问："我的身体里是什么呢？"死神指着面前一个头上罩着各种荣光，心里藏着一只孔雀的高大人物说："这就是你，既有色彩美丽的羽毛，又有丑陋的双脚。"

7. 他们继续向前飞。一只歇在树上的巨鸟对信徒的灵魂发出丑恶的哀号，灵魂颤抖了，因为他熟悉这种声音，这是他生前隐蔽的罪恶思想和贪婪的欲望。

8. 灵魂想逃避这难听的声音，可是那只庞大的黑鸟就在他上空盘旋高叫，像希望所有的人都知道灵魂的隐秘一样。

9. 灵魂像一只被追赶着的鹿向前跳跃，每跳一步都落在尖锐的石头上，他感到无比痛苦。死神告诉他，那些石头就是他原先伤害周围人们的语言。

10. 这时他们来到了天国的门口，守门的天使问灵魂："你是谁？"
"我是上帝的信徒，我有过错误和缺点，但是我也尽力做了我能做
的好事，我也尽力同罪恶的人和事作过斗争。"

11. 天国的门开了，灵魂飞了进去，他在神圣的光明和庄严的音
乐面前，为自己还不够高尚而颤抖。但是在上帝的感召下，他一
步步走向更纯洁，更善良。

完全是真的

蔡明村　改编
张毅刚　绘画

1. 太阳落山了，所有的母鸡都飞上了栖木，一只白母鸡用嘴梳理自己雪白的羽毛，它神情快乐地说："这样可以保持健美。"这时有片柔和的小羽毛从它身上飘落下来。

2. 离它最近的那只母鸡听了这话睡不着觉，就跑去告诉邻居："有一只母鸡，我不愿意把它的名字说出来，它为了漂亮，啄掉自己的羽毛，我要是公鸡呀，才瞧不起它哩!"

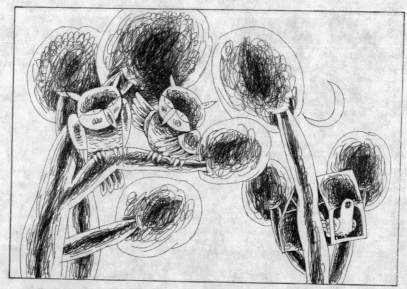

3. 住在母鸡上面的猫头鹰一家人的耳朵特别尖，它们听见了母鸡的谈话，于是猫头鹰妈妈赶忙飞去告诉它那正派的朋友："有个母鸡为了让公鸡看清楚自己，把羽毛都啄掉了。"

4. 猫头鹰的谈话被鸽子听见了,于是鸽笼里传播着:"有只母鸡为讨好公鸡啄掉了全身的羽毛,它会冻死的,咕咕——""在什么地方?""对面那间屋子里,我差点看见了。"

5. 所有的鸽子都朝下面的养鸡场咕咕叫:"有一只母鸡,也有人说是两只,为了显示自己与众不同,将全身的羽毛都啄掉了,它们感冒了,发高烧,后来死了。"

6.早起的公鸡飞到围墙上高叫:"醒来呀!有件丑事我想让大家知道,三只母鸡因为和一只公鸡在爱情上发生不幸,被啄光了羽毛,全都死去了。"

7."让大家都知道吧!"蝙蝠说。于是母鸡讲,公鸡也讲,这个故事从这个鸡舍传到另一个鸡舍,最后传回故事发生的地方。

8. 那只白母鸡听说,有五只母鸡为了找出谁因为和那只公鸡失恋而变得最消瘦,就相互啄光了羽毛,最后都死了。白母鸡昂起头高傲地说:"我瞧不起它们!"

9. 这个令人感兴趣的故事终于在报纸上刊登了出来,写故事的人还强调完全是真的。

　　是的,这完全是真的,一根小小的羽毛可以变成五只母鸡。

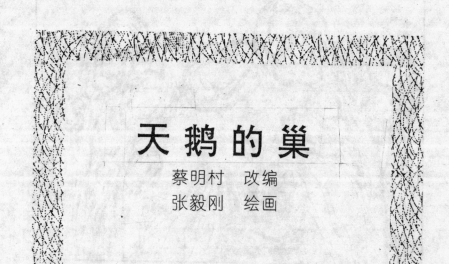

天 鹅 的 巢

蔡明村　改编

张毅刚　绘画

1. 在波罗的海和北海之间有一个古老的天鹅巢，它的名字叫丹麦。天鹅是在它里面出生的。从很久很久以前直到现在，天鹅从这里飞向各地，它们的名字永远不会被人遗忘。

2. 远古的时候，有一群天鹅飞越阿尔卑斯山，在现在意大利的米兰附近降落，住在幸福的绿色平原上，他们就是伦巴底亚人。

3. 另一群长着诚实眼睛的天鹅，飞向南方，在古罗马帝国首都拜占庭落下，在皇帝周围住下，伸开白色的大翅膀作护卫皇帝的盾牌，他们是瓦林格人。

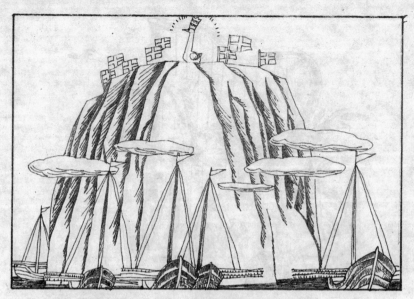

4. 一只天鹅头戴三顶王冠，站在英国陡峭的海岸上，成群的天鹅带着绘有十字的旗帜和闪光的剑在他周围。他就是征服了英国和挪威的克努得大帝，无数异教徒们跪伏在他面前。

5. 如果说这些都是远古的事情，那么不久前一只强大的天鹅从巢里飞起，他拍着有力的翅膀，一道强光射过天空，星空变得明朗而清晰。他是丹麦伟大的天文学家透却·布拉赫。

6. 我们这个时代里，也有过许多美丽的天鹅在天空翱翔。有一只将翅膀在金竖琴的弦上轻轻拂过，琴声便响遍整个北欧。他是丹麦著名的诗人爱仑士雷革。

7. 另一只天鹅在大理石山上拍着翅膀，山便崩裂了，囚禁在石头里的健美的形体走向阳光中，各国人都抬起头赞叹着欣赏。这只天鹅是杰出的雕刻家托瓦森。

8. 还有一只伟大的天鹅是著名的电子科学家奥尔斯德特,他纺织着思想的线,让这神奇的线从这个国家牵到另一个国家,使人们的话语闪电似地传向远方,让人们的心相互沟通。

9. 有些强暴的鸟儿从空中飞来想强占天鹅的巢,连幼小的天鹅都用小嘴和蹼爪斗争,哪怕柔嫩的胸脯淌着鲜血。许多世纪将会过去,但天鹅将不断地从它们美丽的巢里飞起。

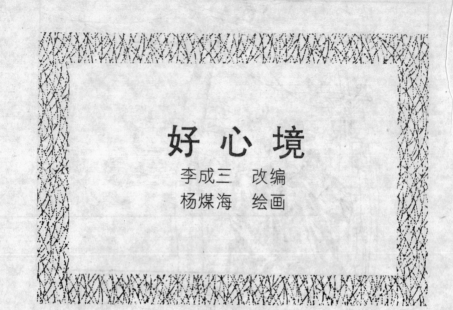

好 心 境

李成三　改编
杨煤海　绘画

1. 父亲给了我一笔最好的遗产：我有一个好心境。那么，我的父亲是干什么的呢？说出来，你别感到不舒服。

2. 我父亲的职业，使他总是站在所有人的前面；哪怕是尊贵的主教，哪怕是纯血统的王子，都得老老实实跟在我父亲的身后。明白了吧，他是干什么的？

3. 他是个赶柩车的，有一个"好心境"。我继承了他的"好心境"。像他一样，我也订阅《新闻报》。这样，当我寿终正寝的时候，可以舒舒服服睡在一大堆报纸上。

4. 我经常拜访墓地。随我一起到坟墓之间走走吧。每一座坟墓，
都像一本背脊朝上的书。不过，你只能看到书名，而我，却知道
它的内容。

5. 这儿躺着一个非常不幸的人。他曾经生活得很好，但他忍受不
了一些琐事。比如，观众在不应当笑的地方却大笑了，这使他坐
立不安，心烦意乱。久而久之，他便来这儿了。

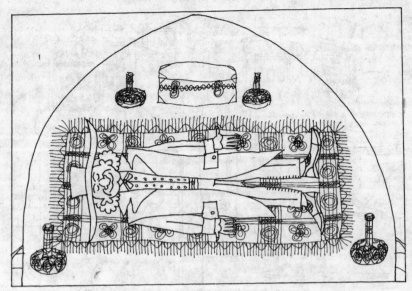

6. 这儿躺着一个大人物。他出身高贵，常在社交场合出现。不过，
他后面老是有一根镶有珍珠的绳子牵住他，限制他的举止言行。

7. 这是一座忧郁的坟墓。令人伤心，他花了几十年光阴想说出一
个伟大的思想，可谁也没听到过。他只好把他的伟大的思想带进
坟墓。

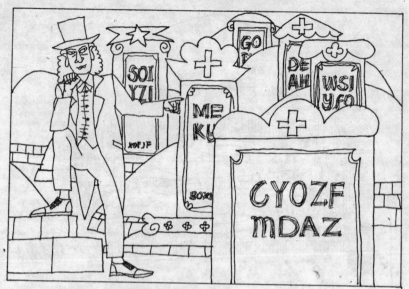

8. 这儿躺着一个吝啬的妇人。那边呢，是一位寡妇。啊，她嘴里满是天鹅的歌声，心中却藏着猫头鹰的胆汁。

9. 这儿躺着各种各样的人，有的诚实，有的奸诈，有的聪明，有的虚伪，有的一生才说过一句真话……真所谓，"人上一百，种种色色。"

662

10. 如果有人活着使别人无法活下去，我就在这儿拣一块草地献给他，立刻把他埋葬掉，并保持自己的好心境。

11. 当我应该把我自己和我的故事装进坟墓的时候，我希望有这样一个墓志铭："一个好心境"。

这就是我的故事

663

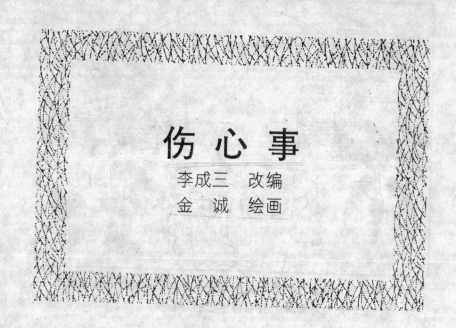

伤 心 事

李成三　改编
金　诚　绘画

1. 有一位太太，为了要处理她在制革厂的几份股子，从邻近的小镇到乡下来，并且带来了所有有关的文件和她心爱的小狗。

2. 乡下的人们告诉她，文件应当放在封套里，并写上业主的地址：作战兵站总监、爵士等。太太写了几个字，叹气说："不过我只是一个女人！"

3. "它并不咬人，"胖太太说，"它没有牙齿，像我们家里的一个成员，很忠心，但脾气坏。"她称那只狗是个可怜的小老头儿。

4. 一个星期后，哈巴狗死掉了。这只从未结过婚的哈巴狗，被埋
   葬在制革厂的院子里。狗的坟墓很美，但并没有什么象征意义。

5. 孩子们提议开一个哈巴狗坟墓展览会，门票价是一个裤子扣。
   这个提议得到一致通过。

6. 街上所有的孩子都涌到这地方来了，献出了他们的裤带扣子。

7. 可是，有一个女孩子没能进来看哈巴狗的坟墓。她没有一粒扣子。这是一件伤心事。

8. 这件伤心事，有人看得清清楚楚。不过，他们是高高地在上面观看，而且微笑。

9. 穷得连一粒扣子也没有！这就是整个的故事。任何人如果不了解它，可以到这个胖妇人的制革厂去，买一份股子。

各得其所

李成三　改编

徐谷安　徐冰之　绘画

1. 这是一百多年以前的事情。让我们从牧鹅姑娘的遭遇说起吧。

2. 突然，传来急促的马蹄声和号角声。打猎归来的老爷带着猎犬和随从飞驰而至。"各得其所！"老爷大声说，"请你滚到泥巴中去吧！"

3. 可怜的牧鹅女抓住了老柳树的一根垂枝，才保住了自己弱小的生命。

4. 柳树枝条承受不住牧鹅姑娘，咔嚓一声，断了！就在这千钧一发之际，一只强有力的手抓住了她。

5. 那是一位流浪的小贩。他模拟老爷的口吻开玩笑说："各得其所！"化险为夷的小姑娘感激地笑了。小贩把那根断了的柳枝插进土里，祝愿它长成一支笛子。

6. 小贩到公馆里去卖货品。客厅里的酒席桌上飘来一阵喧嚷。笑声、犬吠声、大吃大喝声混做一团。丧失了理智的老爷们准备把小贩戏弄一番。

7. 老爷们让小贩喝袜子里的啤酒，赌注是牲口、农奴和农庄。小贩愤怒地回绝了："各得其所！"

8. 小贩大步走出这座罪恶的公馆。牧鹅姑娘在田野的篱笆那儿等着他，赞许地对他点头微笑。

9. 许多天过去了，许多星期过去了。沟边的柳枝已经长大了。公馆里的一切，却在喝酒和赌博中很快挥霍光了——因为这两件东西像轮子一样，任何人在上面是站不稳的。

10. 六个年头还没过完，从公馆里走出一个穷人来。啊，他竟是昔日公馆里的老爷！公馆被小贩买去了。那小贩，就是曾经被戏弄过的小伙子，诚实和勤俭给他带来兴盛。

11. 这位新主人娶了一位太太。她不是别人，就是那个牧鹅女。事情的确如此，在我们这个忙碌的时代里，这是一个很长的故事。不过，重要的部分还在后面哩！

12. 幸福好像是从泉水里涌出来的。那个昔日的流浪小贩，已经成了一位上了年纪的司法官。他的孩子们都受到了很好的教育。

13. 沟边的那根柳枝，已经长成一棵美丽的大柳树。这对老夫妇深情地说："这是我们的家族树，它应当得到光荣和尊敬！"

14. 100年过去了。湖泊已经变成了沼地，老宅院也不见了。在风景优美的小山上，出现了一幢华丽的新房屋。

15. 这里住着那位流浪小贩——老司法官的后代。他们如今是贵族——男爵。这里的格言是"各得其所"!

16. 不幸的是，这个家族的始祖——司法官和夫人的画像，竟被移到了不显眼的走廊上。一个小男爵说："他是一个小贩，而她是一个牧鹅丫头——完全没有价值的废物！"

17. 牧师的儿子是这个公馆里的家庭教师。有一天，他和小男爵以及男爵的姐姐散步。姐姐用小花扎了一个花束，刚说了一句："各得其所。"花儿立即变成一个美丽的整体。

18. 最小的那位男爵希望有一管笛子，牧师的儿子便从老柳树上折下一根枝子。姐姐忙说："啊，请不要这样！这是我们的一棵有名的老树，我非常心疼它。"

19. 原来，姐姐清清楚楚知道这棵树的全部来历："……我们的始祖——那个小贩和牧鹅女，是两个善良的老人。他们恪守着'各得其所'的格言，不愿成为贵族。"

20. "他们是一对可爱的通情理的人!"牧师的儿子听完后感动得大发议论,"而贵族,正在腐化,成为假面具,成为社会讽刺的对象。"就在他们谈论时,笛子做成了。

21. 这一天,公馆里请来了一大批客人欢聚。牧师们都属于地位低微的人,理所当然地被挤在一个角落里。

22. 这是一个放荡欢乐的场合。最小的男爵取出他的柳树笛子，但吹不出声音。他的爸爸也吹不出，别的人都吹不出。于是，他们转向牧师的儿子，要捉弄他了。

23. 不等牧师的儿子作出反应，小男爵便大声对众人宣布："我们这位家庭教师，将用这杰出的乐器为大家独奏。"牧师的儿子只好把笛子凑到嘴边。

24. 这真是一支奇妙无比的笛子！牧师的儿子一吹，它发出一个
怪音来，同时卷起一阵呼啸的狂风，并威严地吼着："各得其所！"

25. 小男爵的爸爸被风卷出了大厅，落在牧人的房间里，而牧人
也飞起来，飞到仆人的宿舍里去了。仆人们目瞪口呆：怎么回事？
下贱的牧人居然坐上了我们的桌子？

26. 小男爵和他的兄弟、他们的父亲纷纷倒栽葱似的，飞进一个
鸡窝里去了。狂风继续呼啸着：各得其所！

27. 一个富商的全家，被吹出了马车车厢。两个黑心肠的农夫，被
吹到泥巴沟里了。风仍然在呼啸：各得其所！

28. 在大厅里，小男爵的姐姐飞到桌子的首席上，旁边坐下的是牧师的儿子，好像他俩是一对新婚夫妇似的。是的，善良的人才有资格坐在这儿。风在说："各得其所！"

29. 小贩和牧鹅女的画像吹到大客厅里来了，回到了它们应该悬挂的正中央。"各得其所"，事情就是这样！永恒的真理是很长的，比这个故事长得多。

小鬼和小商人

李成三　改编

张毅刚　绘画

1. 从前,有一个小鬼和一个商人住在一起。每逢圣诞节的时候,小鬼总能得到一盘麦片粥和一大块黄油。这件事已够令人陶醉了。

2. 在商人家的顶楼上——那是个堆破烂的地方，住着一个穷学生。啊，他是个名符其实的穷人，什么也没有。

3. 有一天晚上，穷学生到商人的店铺里买蜡烛和干奶酪。忽然，包干奶酪的纸张吸引了他。

那是从一部旧诗集上撕下的一页纸。

4. "这样的书多的是!"小商人说,"我是用几粒咖啡豆从一个老太婆那儿换来的。"

　　"把整本书撕得乱七八糟,真是一桩罪过。"学生用干奶酪换回了那本诗集剩下的部分。

5. 穷学生感叹地对商人说:"你是个能干的人,不过就诗来说,你不比那个盆子懂得多!"

　　商人毫不在意。

　　小鬼却生了气:"怎么能这样说呢?"

6. 小鬼清楚,商人太太具有讲话的天才,她那舌头是世界上独一无二的。于是,趁人们都睡着了的时候,小鬼拿走了商人太太的舌头。

7. 小鬼把舌头放在那个盆里,问道:"有人说你不懂诗,这是真的吗?"

盆子立即回答:"我当然懂得,诗是一种印在报纸上补白的东西。"

8. 小鬼再把舌头放在一个咖啡磨上。哎唷，咖啡磨简直成了一个话匣子了！它说的话跟盆子没什么两样。小鬼又把舌头放在一个黄油桶上。结果呢，同样如此！

9. "多数人的意见必须尊重!"小鬼想把这些告诉那个穷学生，于是悄悄爬上顶楼，从门锁孔朝里面偷看。

10. 啊，你猜小鬼看见了什么？那本书里冒出一根亮晶晶的光柱，光柱又扩大成一棵树，树的枝叶在穷学生的头上向四面伸展，伸展的枝叶里开出一朵朵花儿来……

11. 小鬼简直看入迷了。那每朵花儿，都是一个美女的面孔；那每个果子，都是一颗明亮的星星。听听，房间里还有美妙动人的乐曲传出来……

12. 穷学生要上床睡觉了，他吹熄了蜡烛。可小鬼仍旧站在那儿，舍不得离去。"这儿真是美丽极了，我倒很想跟这穷学生住在一起哩！"

13. 但是，小鬼很快又叹了一口气："唉，这穷学生可没有什么粥给我吃！"于是，他仍旧回到小商人家里去了。

他把舌头还给了商人太太。

14. 从那以后,只要顶楼上有灯光,小鬼就坐立不安,立即爬上去,从锁孔里观望。

啊,那里的诗情画意,真令人陶醉!

15. 小鬼看到穷学生房里的景象,胸中涌起一种豪迈的感觉,令他潸然泪下。唉,跟学生一起坐在那棵树下,该有多么幸福啊!

16. 有一天深夜,不知什么地方忽然起火了。大家都陷入了恐怖之中。

　　每个人都想救出自己最好的东西。

17. 小鬼快步跑上楼顶,把桌上那本破旧的诗集塞进自己的小红帽里,赶紧翻窗从屋顶跑走。

692

18. 小鬼现在才知道，他的心真正向着谁了。不过，等到火被救灭后，他的头脑渐渐冷静下来。等到他肚里咕咕叫的时候，他更清醒了。

19. "为了那碗粥，我不能离开那个小商人啊!"小鬼垂头丧气地感叹着，又回到小商人那儿去了。

这话很近人情!让我们也去吧，为了粥!

一千年之内

李成三　改编

谢丽芳　吴尚学　绘画

1. 在一千年之内，人类将乘着蒸气的翅膀，在天空中飞行，在海洋上飞行。

2. 这是一条蒸气飞船，里面坐满了美洲的年轻人。

"到欧洲去，到我们祖先的国度去！"年轻人七嘴八舌，激动不已。

3. 飞船比海上航行快得多。在这群年轻人面前，立即出现了一个回忆的和幻想的世界：

瞧，莎士比亚的国度——英国！

4. 他们通过英国海峡的隧道到法国去。

　　这里曾是查理大帝和拿破仑的天下，但人们津津乐道的却是莫里哀，远古时代的诗人、学者及其派别。

5. 脚下是哥伦布当年出发的地方——西班牙。啊，从那些古老的歌声里，人们可以听到许多英雄、诗人和剧作家的名字。

6. 这不是意大利吗？古老的、永恒的罗马怎么消逝了？那只剩下一堵孤独的断墙的地方，真是圣彼得教堂的遗址么？

7. 接着他们就到了希腊。下一程是黑海。那些曾经是土耳其人蓄养妻妾的哈伦花园，现在只有穷苦的渔人在那儿撒网。

8. 他们在宽阔的多瑙河上空飞过。下面出现的是德国。在这块国
土上，路德讲过话，歌德唱过歌，莫扎特掌握过音乐的领导权。

9. 他们花一天工夫游览了北欧，在归途中拜访了冰岛。沸泉已经
不再喷水，赫克拉火山也熄灭了，不过那座石岛仍然像个英雄故
事的纪念碑。

10. 泰晤士河、多瑙河、莱茵河仍在滚滚地流，但人类已经一代接一代地化为尘土。那些一度当权、不可一世的人物已经在人们的记忆中消逝，跟所有躺进坟墓的人没有两样。

11. "啊，在欧洲可看的东西真多！"飞船上的年轻人感慨不已，"我们只花了八天工夫就把它看完了！"

柳 树 下 的 梦

李成三　改编
史　俊　绘画

1. 却格是丹麦的一个小城市。它靠近海边，夏天是很美丽的。两
个小邻居克努得和约翰妮，尤其有这样的感觉。

2. 男孩子克努得非常怕水,从来不敢走下海去。别人讥笑他是懦夫,他只好忍受。

　　小邻居约翰妮常常安慰他。

3. 约翰妮说,她做了一个梦,梦见自己驾着一只船,克努得正朝她走来。水已经淹到克努得的颈上,最后淹没了他的头顶。

　　"是吗?"克努得仿佛浑身是胆量。

4. 却格的集市也是挺吸引人的,特别是那姜饼的香味儿,真叫人嘴馋。可惜,他们的父母都是穷苦人,很少给他们零花钱。

5. 卖姜饼的人很有趣,常常对孩子们讲他那姜饼的故事:"柜台上摆的两块姜饼,一块是男孩,另一块是个小姑娘。你看,男孩左边有个苦杏仁——那是他的心……"

6. 卖姜饼的人说："他俩在一起呆了很久，最后就产生了爱情，但谁也说不出口来。结果呢，都变干了，唉！后来，这姑娘，叭，裂为两半……现在，我把他们送给你们吧！"

7. 第二天，克努得和约翰妮带着姜饼到却格公墓去玩儿，并且把这有趣的爱情故事讲给小伙伴们听。

　　他们实在不愿意把这对恋人吃掉。

8. 约翰妮很会唱歌，唱起来比银铃还动听。邻居们都说，这小姑娘的声音很甜蜜呢！

　　克努得没有唱歌的天才，但他听得懂约翰妮的歌。

9. 人生不会永远都是美丽的。约翰妮的妈妈不幸去世了。她的爸爸打算迁到京城去住，在那儿重新讨一个太太。

704

10. 约翰妮一家搬走后，克努得当了一个鞋匠的学徒。他多么希望能在一个节日里，到京城哥本哈根去看看约翰妮啊！

11. 约翰妮也很想念克努得。圣诞节前夕，她写来一封信，并把一块银币寄给克努得全家，希望他们过一个快乐的圣诞节。

　　从信中得知，约翰妮已经登台演唱。

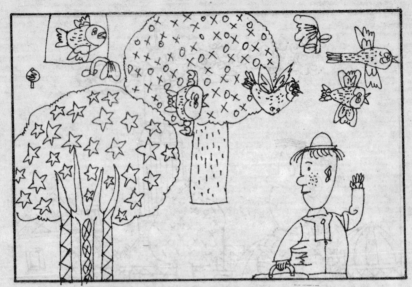

12. 克努得已经是个大孩子了。他深深爱着约翰妮。"她一定得成为我的妻子!"在一个晚秋的日子里,克努得决定到哥本哈根去,寻找他心爱的朋友。

13. 历尽千辛万苦,克努得终于找到了约翰妮的家。

"啊,看到你真高兴!"约翰妮的父亲和继母客客气气地迎接他。

14. 嗨，这房间多么漂亮！不过，克努得眼中的约翰妮更漂亮！他俩久别重逢，有多少话要说，有多少话要问。他俩谈起了恋人姜饼，谈起了那棵老柳树……

15. 这天中午，克努得收到一封信，里面除了一张戏票，什么也没有。晚上，他拿着票，有生以来第一次走进戏院。啊，他看到了约翰妮，她是那么美丽，那么可爱！

16. 然而，当克努得高高兴兴，再次去拜访约翰妮的时候，约翰妮却告诉他："星期五我就要到法国去了！"克努得觉得天旋地转，世界似乎已经塌下去了。

17. 冬天来了。克努得有一种远行的渴望，但是他不愿意到法国去。他从这个城市走到那个城市，一刻也不休息。

18. 他走过了一个夏天和冬天，后来，想在莱茵河畔的一个城市
里住下来。可是，这儿的老柳树太多，常让他想起却格的小邻居
和教堂，还有那对姜饼小人儿。

19. 在米兰，他在一个德国籍的老板那儿找到了工作。老板夫妇
俩对他很好。

　　有一次，老板带他去看歌剧。

20. 这真是像魔术一样——紫红色帷幕向两边分开后，出现在台上的竟是约翰妮！

可怜的克努得忍不住高声喊叫起来。

21. 演出完毕，克努得挤过人群，热情地朝约翰妮喊道："约翰妮，我是克努得！"但是约翰妮已经不认识他了，早忘记了从前的小邻居。

人们窃窃私语：约翰妮已经订婚了。

22. 克努得决定离开这儿，回到老家去。德国籍老板夫妇俩怎么也留不住他。

　　他想念家乡的那棵老柳树。

23. 克努得走累了，靠着一棵老柳树坐下来。啊，这不就是却格的那棵老柳树吗？那一男一女的两块姜饼也出现了，他俩正向却格的教堂走去。约翰妮呢？她来了……

24. 克努得醒过来，发现这儿不是却格。但是，他病了，再也没有力气爬起来了。

"上帝啊，让我再梦下去吧!"他又把眼睛闭上，希望着美丽的梦境。

25. 天明的时候，人们到教堂去做礼拜，发现路旁有一个手艺人，不知他从哪里来，也不知他要到哪里去，只知道他睡着了，永远睡着了。

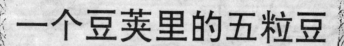

一个豆荚里的五粒豆

刘祖泉　改编

陶鸿森　绘画

1. 在一个豆荚里，躺着五颗豌豆，五颗豌豆生活在绿莹莹的世界里。太阳在外面照着，把豆荚晒得暖洋洋的；雨把它洗得透明，透明得像绿色的宝石一样。

2. 豆荚里既温暖又舒适，白天明亮，晚间黑暗，豆粒躺在里面渐渐成熟了，它们由绿变黄，身子也变得圆滚滚的了。

3. "啪"，豆荚裂开来了。那五粒豆子都滚到太阳光里来了。豆荚壳像两只弯弯的手掌，捧着它们。一个男孩发现了这个豆荚："哈！好大的一个豆荚呀！"

4. 小男孩摘下豆荚，他想豆粒正好可以当作气枪的子弹用。他紧紧地捏着它们，高高兴兴地回家了。

5. 小男孩取出一支气枪，把第一颗豌豆放进枪里，"砰"地一枪射了出去。这颗豌豆欢呼着："你们看呀！我就要飞到广阔的天地里去了！"

6. 一只在家中飞翔的鸽子发现了它，一口就把它吞进了胃里。鸽子边飞边高兴地说："咕咕，我今天真是好运气，一颗豆子飞到嘴里来了！咕咕！"

7. 第二颗豌豆也被射出去了，它高叫着："朋友们，我要飞到太阳身边去了。"这颗豌豆当然不可能飞到太阳身边，而被射到一个屋顶上了。

8. 第三颗第四颗豌豆很怕被装进气枪，趁小男孩不注意，悄悄地从口袋里溜了出去。它们一下子掉进水沟里，任凭怎么挣扎也爬不起来，身子渐渐被泡胀了。

9. 小男孩拿出第五颗豌豆，问："你想到哪里去呢?"豌豆在小男孩手心里跳了跳说："我想到为别人解除痛苦的地方去!"

10. 小男孩把豌豆装进气枪说："看来，你是最有出息的！"小男
孩一扣扳机，豌豆便飞到了空中，它飞呀飞呀，飞到一个阁楼的
窗台上。

11. 窗台上有一只花盆，花盆里长着很多青苔，第五颗豌豆正好
钻进长满青苔的裂缝里，青苔用柔软的手臂拥抱着它，说："你好
呀！欢迎你来同我作伴儿！"

12. 阁楼里住着一户贫穷的人家，母亲每天替人家扫壁炉、锯木材，还要做许多类似的粗活，维持她和女儿贫困的生活。

13. 小女孩生病了，她的身体非常虚弱。小脸黄黄的，小手瘦得像柴棍，她在床上躺了一年，看样子既活不下去，也死不了。

14. 清晨，母亲又来到女儿身边："孩子，妈妈又要出去干活了，不然，我们吃什么呢？"说完，母亲便披起那块满是破洞的围巾，走了出去。

15. 小女孩艰难地点点头，目送着母亲走出家门，她自己又要孤独地躺在家里了。她是多么希望同母亲多说几句话呀！可是，母亲不能在家里陪她，不然，她们吃什么呢！

16. 金色的阳光照进窗户，小女孩想从窗户里看看蓝天，她的眼睛猛地睁大了。"啊，花盆里长出一棵黄色的小嫩芽，多么可爱的小嫩芽呀！"

17. 第二天，小嫩芽变成绿色的小苗了，小女孩兴奋地指给妈妈看："妈妈，看！花盆里长出一棵小苗，多么可爱的小生命啊！"

18. 妈妈说："这是一颗小豌豆，真奇怪！它是怎么飞到这里来的呢？"小女孩说："小豌豆准是怕我寂寞，它是来陪伴我的吧！"

19. 小女孩的脸激动得红扑扑地说："妈妈！我觉得这颗小苗在对我说话，说我的病一定会好起来的。你看，他的叶子不是正对我摇动吗？"

20. 慈祥的妈妈望着瘦弱的女儿，说："愿上帝答应我们，如果能那样，可就太好了！"妈妈找来一根小竹竿，把这颗给女儿带来欢乐和希望的小豆苗支撑起来。

21. 过了几天，豌豆苗渐渐长高了，妈妈给它搭了个木架，好让藤蔓能够盘绕上去。小女孩每天望着豌豆苗，和它说话，对它唱歌，有时还支撑着身体给它浇水。

22. 豌豆苗一天天长大了，小女孩的病也一天天好了，母亲高兴地说："我幸福的孩子，上帝种下这颗豌豆，叫它长得枝叶茂盛，成为你我的希望和快乐。"

23. 豌豆苗开花了，缀满紫色小花的藤蔓伸进窗户，小女孩把脸贴近花瓣，轻轻地亲吻着。豌豆苗上那又细又软的绿须像小手一样，轻轻抚摸着小姑娘的脸颊。

24. 这时，玩气枪的小男孩从窗下走过，豌豆轻轻地摇了摇枝条，好像说："瞧，我实现了自己的诺言。"

25. 不久，当豌豆藤结出一串绿色的豆荚时，小女孩的病全好了，她又可以帮妈妈干活了。每天清晨，她醒来的第一件事就是给花盆浇水并轻轻地说："谢谢你，小豌豆！"

天上落下来的
一片叶子

曾琪琳　改编

王钧海　绘画

1. 在稀薄的、清爽的空气中，有一个安琪儿拿着天上花园中的一朵花在高高地飞。当他吻着这朵花的时候，有一小片花瓣落到树林中潮湿的地上。这花瓣马上就生了根，并且在许多别的植物中间冒出芽来。

2. 它不停地生长，它的每片叶子上都长满了刺。在春天的时候，这棵植物居然开出花来，比树林里的任何植物都要美丽。

3. 这时，来了一位植物学教授。他对这棵植物望了一眼，检验了一番，发现所有的植物体系内都没有这种东西，便说："它是一种变种，不属于任何一科，我不认识它！"

4. 周围的许多大树都听到了这些话。但它们什么话也不说——不说坏话，也不说好话。这时有一个贫苦天真的女孩子走过树林。

5. 女孩子站在这棵稀奇的植物面前——它的绿叶发出甜蜜和清新的香气，它的花朵在太阳光中射出五光十色的焰火般的光彩。每朵花发出一种音乐，好像它里面有一股音乐的泉水，几千年也流不尽。

6. 女孩子怀着虔诚的心情，望着造物主的这些美丽的创造，真想
摘下一朵花，但是她不忍心将它折断，只摘下了一片绿叶。

7. 她把绿叶带回家，夹在《圣经》里。几个星期以后，这个女孩
不幸死了，当她躺在棺材里的时候，《圣经》就放在她的头底下。
她安静的脸上露出了一种庄严的虔诚的表情。

8 那棵奇异的植物仍然在树林里开着花，它很快就要长成一棵树了。许多候鸟，特别是鹳鸟和燕子，都飞到这儿来，在它面前低头致敬。

9. 这时，有一个猪倌来了。他正在采集荨麻和蔓藤，这棵奇异的植物也被连根拔起来，扎在了一个柴捆里。

10. 这个国家的君主多年来一直害着很重的忧郁病。人们请教世界上一个最聪明的人，这人派来一个信使。

11. 信使告诉大家，要减轻和治好国王的病，只有一种药方，那就是生长在树林里的那棵来自天上的奇异的植物。并且还附带了一张关于这棵植物的图解样。

12. 所有的医生和那位植物学教授都到树林里去找寻那棵植物。"我想,我已经把它扎进柴捆里烧成灰了。别的事情我不知道!"猪倌说。

13. "你不知道!"大家齐声抱怨猪倌,他们连一片叶子也没有找到,那唯一的一片叶子藏在那女孩的棺材里,而这事情谁也不知道。

14. 于是，国王在极度的忧郁中亲自走到树林中的那块地方。"那棵植物曾经在这儿生长过！"他说，"这是一块神圣的地方！"

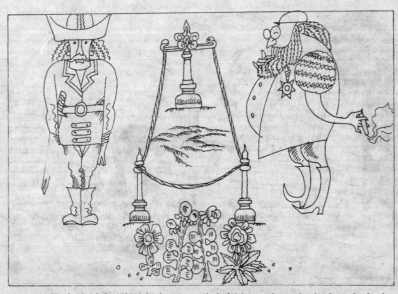

15. 于是这块地的周围竖起了一道金栏杆。有一个哨兵日夜在这儿站岗。而植物学教授也因写了一篇关于这棵天上植物的论文，获得一枚勋章。

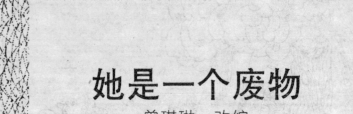

她是一个废物

曾琪琳　改编
胡永强　绘画

1. 市长正站在开着的窗子面前，他只穿着衬衫，衬衫的前襟上别着一根领带别针。一个小男孩从他的房前经过。"听着，小家伙！"市长大声说。

2. 这小家伙不是别人，就是那个贫苦的洗衣妇的儿子。此时，他穿着一件破衣服，脚上拖着一双厚木鞋，手里拿着顶破帽子，恭恭敬敬地站在市长面前。

3. "你是一个好孩子！"市长先生说，"我想你妈妈正在河边洗衣服，你现在是想把藏在衣袋里的东西送给她。这对你母亲来说，是一件很不好的事情！你弄到了多少？"

4. "半斤,"孩子用一种害怕的声音吞吞吐吐地说。"今天早晨她已经喝了这么多,"市长说,"她真是一个废物!告诉你妈妈,她应该觉得羞耻。你自己切记不要变成一个酒徒——不过你会的!可怜的孩子,你去吧!"

5. 孩子走开了,他绕过一个街角,拐进一条通向河流的小巷子里。

　　他的母亲站在水里一个洗衣凳旁边,用木棒打着一大堆沉重的被单。

6. "你来得正好，"她说，"我正需要人来帮忙，站在这水里真冷，我已经站了六个钟头了。你带来什么东西给我吗？"

7. 孩子取出一瓶酒来。妈妈把它凑到嘴上，喝了一点。"啊，这算是救了我！"她说，"它简直像一顿热饭，而且价钱也不贵！你也喝点吧，你穿着这点单衣服，要冻坏的。"

8. 于是，她走出河水，爬到孩子站着的那座桥上来。水从她草编的围裙上和她的衣服上不停地往下滴。"我要拚命工作，只要能凭诚实的劳动把你养大，我吃什么苦也愿意。"

9. 这时，洗衣妇的朋友，一个名叫玛伦的跛脚女人向她们走来了，"咳，你简直在冷水里工作得不要命了！你应该喝点东西，把自己暖和一下，而市长却对你儿子说你是一个废物！"

10. "咳,我的孩子!他居然对你说那样的话!"洗衣妇说,她的
嘴唇在发抖,"你看,你的妈妈是个废物!也许他的话有道理,但
他不能对我的孩子说呀!况且我在他家吃了那么多年的苦。"

11. 玛伦告诉洗衣妇说:"市长今天要举行一个盛大的午宴,他本
来要请客人们改期再来的,不过已经来不及了,因为菜早就准备
好了。一个钟头以前,他接到一封信,说他的弟弟已经在哥本哈
根死了。"

12. "死了?"洗衣妇大叫一声，她的脸变得像死一样惨白，眼泪顺着她的脸滴下来了，"啊，老天爷，我周围的一切东西都在打旋转！——这是因为我把一瓶酒喝光了的缘故。"

13. 于是她靠着木栅栏，免得倒下来。玛伦忙扶住她："你浑身烧得滚烫，一定是病了！我送你回家吧。"

14. "不过我这堆衣服——"这个洗衣妇的腿在发抖。"交给我好了！你的孩子可以留在这儿等着。我一会儿就回来把它洗完。"于是洗衣妇哭起来。

15. 孩子也哭起来。他单独坐在河边，守着这一大堆湿衣服。这两个女人走得很慢。洗衣妇摇摇晃晃地走过一条小巷，来到市长住着的那条街上。

16. 一到市长的公馆前，她就倒在人行道上了。许多人围拢来，跛
脚玛伦跑进公馆去找人帮忙。市长和他的客人们走到窗前来朝外
张望。

17. "原来是那个洗衣的女人！"市长说，"她喝得太多了，醉了！
她是一个废物！真可惜，她有一个可爱的儿子。我的确喜欢这孩
子。不过这母亲是一个废物！"

18. 不一会儿洗衣妇恢复了知觉。大家把她扶到她简陋的屋子里去，然后把她放到床上。好心肠的玛伦为她热了一杯啤酒，又匆匆跑到河边把衣服洗完了。

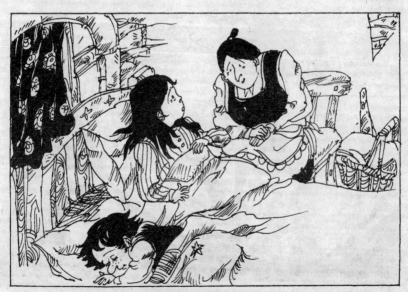

19. 天黑的时候，她来到那间简陋的小房间里，坐在洗衣妇的旁边。小男孩已经睡着了，他横躺在妈妈的脚头，盖着一床打满了蓝色和白色补丁的旧毯子。

20 "多谢你，你这个好心肠的人。"洗衣妇望着孩子温柔可爱的面孔说，"孩子睡着了，我把一切都告诉你。"

21. "我很年轻的时候，就是枢密顾问官——市长的父亲家的佣人。有一天他的在大学里念书的小儿子回来了，他是一个快乐、和蔼、善良的人。我们相爱了——我们的爱是真诚的、正当的。

22. "他把这事告诉了他的母亲，她在他的眼中就像世上的一个活神仙。她既聪明，又温柔。他离开家的时候，就把他的戒指套到我的手指上。

23. "他走了，我的女主人叫住我，她用一种坚定，但是温柔和严肃的语气对我说：'他现在只看到你是多么漂亮，不过漂亮是保持不住多久的。你没有受过他那样的教育——不幸的关键就在这里'。

24. "她继续说：'在上帝面前，你们比许多富人的位置还高，不过在我们人的世界里，我们必须当心不要越过了界限，不然车子就会翻掉，你们两人也就会翻掉。现在有一个手套匠人爱力克向你求婚，你考虑一下吧！'

25. "她讲的每个字都像一把刺进我心里的尖刀。不过我知道她的话是有道理的。这使我感到难过，感到沉重。我吻了她的手，流出痛苦的眼泪。

26. "当我回到我的房里倒在床上的时候，我哭得更痛苦。这是我最难过的一夜。只有上帝知道，我是在怎样受难，怎样挣扎。

27. "不久，我便和手套匠人结婚了。头一年我们的生活还不坏，我们有一个伙计和一个学徒。而那个大学生，我再也没有见到过，不过，我知道他一直没有结婚。"

28. 于是她谈到她那些苦难的日子和她家所遭遇到的不幸。"我们借了一笔钱，准备盖房子。这时，我们的孩子出世了。长期的重病把我的丈夫拖倒了。我们把所有的东西都卖了，不久丈夫就死了。

29. "我为了孩子，不得不替人擦楼梯、替人洗各种粗细衣服，但是我的境遇还是没有办法改好——这是上帝的意志！"她说着说着便睡去了。

30. 到了早晨,她觉得精神好了许多,便又去河边洗衣服。她刚一走进冷水里,便感到一阵寒颤和无力。她用手在空中乱抓,向前走了一步,便倒下去了。

31. 她的头搁在岸上,脚仍然浸在水里。她的一双木鞋——每只鞋里垫着一把草——顺着水流走了。这情形是玛伦送咖啡来时看到的。

32. 市长派人到她简陋的屋子里来，叫她赶快到市长家里去，因为他有事情要对她讲。但是已经迟了！这个可怜的洗衣妇已经死了。

33. "她喝酒喝死了！"市长说。那封关于他弟弟去世的信里附有一份遗嘱的摘要：死者留下600块钱给他母亲过去的佣人——就是现在的手套匠的寡妇或她的孩子。

34. "我的弟弟和她曾经闹过一点无聊的事儿,"市长说,"幸亏她死了,我将把那个孩子送到一个正经人家里去寄养,好使他将来成为一个诚实的手艺人。"

35. 于是市长就把这孩子喊来,答应照顾他。同时还说她的母亲死了是一桩好事,因为她是一个废物!

36.　　人们把洗衣妇抬到教堂的墓地，埋在穷人的公墓里。玛伦在她的坟上栽了一棵玫瑰树，那个孩子站在她旁边，经受着失去母亲的巨大痛苦。

37.　"我亲爱的妈妈！"他哭起来，眼泪不停地流，"人们说她是一个废物，这是真的吗？" "不，她是一个很有用的人！"那个老佣人说，"她是一个好人，让别人说'她是一个废物'吧！"

最后的珠子

曾琪琳　改编
曹　琳　绘画

1. 这是一个富有的家庭，也是一个幸福的家庭。所有的人——主人、仆人和朋友——都是高兴和快乐的，因为在这一天一个继承人——一个儿子出生了。妈妈和孩子都安全无恙。

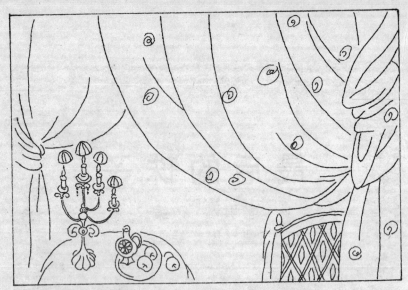

2. 这个舒适的卧室里的灯是半遮着的；窗子挂着贵重的、丝织的厚窗帘。地毯又厚又柔软，很像一块盖满了青苔的草地。一切东西都使人产生一种愉快的、安静的感觉。

3. 守护神正站在床头。他在孩子和母亲的胸脯的上空伸展开来，像无数明亮、灿烂的星星——每颗星是一个幸运的珠子。善良的、生命的女神们带来了送给这个新生孩子的礼物。这儿充满了健康、富饶、幸运和爱情的景象。

4. "一切东西都被送给这一家人了！"守护神说。"还少一件！"孩子的安琪儿说，"还有一个仙女没有送礼物来，我还缺少那颗最后的珠子！"

5. "缺少？这儿什么东西都不应该缺少。假如真有这么一回事，我们就去找这位有力量的女神 吧。""她会来的，为了把整个花环扎好，她的这颗珠子决不可以缺少！"

6. "她住在什么地方呢?" "她没有一个固定的住址,不过我可以领你去。"孩子的安琪儿说。于是他们手挽着手,飞到女神在这个时刻所住的那个地方。

7. 这是一幢很大的房子,房间的中央停着一口开着的棺材,棺材里躺着一个年轻的少妇的尸体。她的身上盖满了新鲜美丽的玫瑰花。只有她那双交叉着的、细嫩的手和纯净的、高贵的脸显露出来。

8. 在棺材旁边站着她的丈夫和孩子,最小的孩子偎在爸爸的怀里,他们都在这儿作最后的告别。丈夫吻着她的手。这只手像一片凋零的叶子,它从前曾经慈爱地,热烈地抚慰过他们。

9. 悲哀的,沉重的大颗泪珠落到地上,但是谁也说不出一句话来。他们在沉默和呜咽中走出了这屋子。

10. 屋子里点着一根蜡烛，烛光在风中挣扎，不时伸出又长又红的舌头。陌生人走进来，把棺材盖盖住了死者的身体，然后把它紧紧地钉牢。铁锤的敲击声在房间里，在走廊上，引起一片回响，在那些破碎的心里也引起回响。

11. "你把我带到什么地方去呢？"守护神说，"拥有生命中最好礼物的仙女不会住在这儿呀！""她就住在这儿！"安琪儿说，"她活着的时候，常常坐在这里，慈爱地向丈夫、孩子和朋友点头。她曾经是这家里一切的重点和中心。"

12. 现在这儿坐着一个穿着又长又宽的衣服的陌生女人，她就是悲哀女神，她现在代替死者，成了这家的女主人和母亲。一颗热泪落到她的衣服上，变成一颗珠子。它射出彩虹的各种颜色。

13. 安琪儿捡起这颗珠子，珠子射出光彩，像一颗有五种颜色的星。"悲哀的珠子是一颗最后的珠子——它是怎样也缺少不了的，只有通过它，别的珠子才显得光耀夺目。"

两个姑娘

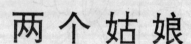

曾琪琳　改编
应　乐　绘画

1. 有这样一位"姑娘"，她就是铺路工人用的、一种把石头打进土里去的器具。她完全是由木头做成的，下面宽，并且套着几个铁箍。她的上部窄小，有一根棍子穿进去，这就是她的双臂。

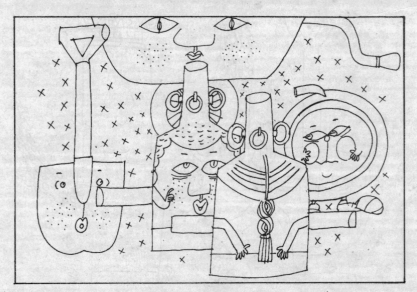

2. 在放工具的那个屋子里，就有这么两个姑娘。她们跟铲子、卷尺和独轮车住在一起。有一天，她们之间忽然传出一个谣言，说铺路工人已经不再把姑娘叫做"姑娘"，而要叫做"手槌"了。

3. 可是，工具房里的这两位姑娘不愿放弃"姑娘"这个好名称，她们说："'姑娘'是人的称号，而'手槌'不过是一种物件。我们决不能让人叫做物件——这是一种侮辱。"

4. "我的未婚夫会跟我闹翻的,他把我当做一个姑娘才和我结婚。"
跟打桩机订了婚的那位年轻的"姑娘"说。打桩机是一个大器具,
他能把许多桩打进地里去。

5. "我呢,我宁愿让我的两只手折断。"年长的那位说。独轮车在
一旁插话说:"我觉得'手槌'这个名字好,因为有了这个名字,
你就可以进入印章的行列。你想想官印吧,它盖上一个印,就产
生法律的效力!"

6. 诚实的老卷尺也说："一个人应该适应他的时代和环境，如果法律说'姑娘'应该改成'手槌'，那么你就得叫做'手槌'。一切事情总得有一个尺度！"

7. "不成，如果必须改变的话，"年轻的一位说，"我宁愿改称为'小姐'，最低限度'小姐'还带一点'姑娘'的气味。""我宁愿被劈做柴烧。"年长的那位姑娘说。

8. 最后，他们一同去工作。那两位姑娘仍然被当作"手槌"坐在独轮车上。"姑——!"她们在铺路石上颠簸的时候，几乎把"姑娘"两个字念出来了，不过她们临时中断，把后面一个字吞下去了。

9. 她们一直把自己叫做"姑娘"，同时称赞过去的那些好日子。她们终于成了一对老姑娘，因为那个大器具——打桩机——真的跟年轻的那位解除了婚约，他不愿跟手槌有什么关系。

在辽远的海极

曾琪琳　改编

王伟民　汪小玲　陈运星　绘画

1. 有几艘大船要开到北极去,它们的目的是要发现陆地和海的界限,同时试验一下,人类到底能够向前走多远。它们在雾和冰中已经航行了好几年,而且吃过不少的苦头。

2. 现在冬天开始了，太阳光已经不见了。四周是一望无际的冰块。
船只已经凝结在冰块中间。雪堆积得很高；人们在雪堆中建起蜂
巢似的小屋，北极光射出的光彩，像永远不灭的焰火。雪发出亮
光，大自然是一片黄昏的彩霞。

3. 每当这时，当地的土人就成群结队地走出来。他们穿着毛茸茸
的皮衣，坐着用冰块制作成的雪橇，运输大捆的兽皮，好使他们
的雪屋能铺上温暖的地毯。

4. 在我们住的地方，这还不过是秋天。住在冰天雪地里的探险者们不禁想起了故乡的太阳光，想起了挂在树上的红叶……此时正是黑夜，冰屋里已经有两个人睡着了。

5. 其中一位身边还带着一部《圣经》。这是他动身前他的祖母送给他的，每天晚上他都要读上一小段："我若展开清晨的翅膀，飞到海极居住，就是在那里，你的左手必引导我，你的右手，也必扶持我。"

6. 他记住这些含有哲理的话，怀着信心，闭起眼睛，于是他睡着了，做起梦来。他看到一位安琪儿从《圣经》的书页里升上来，他伸开手臂，雪屋的墙在向下坠落，好像是一层轻飘的薄雾似的。故乡美丽的景色映入他的眼帘。

7. 鹳鸟的巢已经空了，野苹果树上仍然悬着苹果，玫瑰射出红光，在他的家，一个农舍的窗子前，一只八哥正在一个小笼子里唱着歌，祖母在笼子上挂些鸟食。铁匠的那个年轻漂亮的女儿，正站在井边汲水。

8. 她对祖母点着头，祖母也对她招手，并且给她看一封远方的来信。这封信正是这天从北极寒冷的地方寄来的。她的孙子现在就在上帝的保护下，住在那儿。

9. 她们不禁大笑起来，又不禁大哭起来，而他也跟着她们一起笑，一起哭。她们高声读着信上所写的上帝的话语："就是在海极居住，你的右手，也必扶持我。"

10. 四周发出一阵动听的念圣诗的声音。安琪儿在这个梦中的年轻人身上，展开他的迷雾一般的翅膀。

11. 他的梦做完了。雪屋里是一片漆黑，但是他的头底下放着《圣经》，他心里充满了信心和希望。"在这海极的地方"，上帝在他的身边，家也在他的身边。

钱　猪

曾琪琳　改编
张　勇　绘画

1. 婴儿室里有许多玩具。橱柜顶上有一个储钱罐，它的形状像猪，是泥烧的，它的背上还有一条窄口，里面除了许多银毫外，还有两块银元。

2. 钱猪高高地站在橱柜顶上，瞧不起房里一切其他的东西，因为它肚皮里所装的钱可以买到这所有的玩具。别的玩具也意识到这一点，但谁也不作声。

3. 夜晚，月光从窗子外面照进来，一个很大的旧玩具说："我们来扮演人好吗？因为这究竟是值得一做的事情呀！"

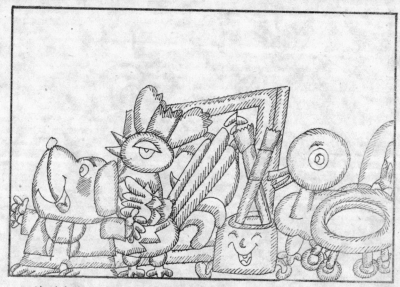

4. 这时大家骚动了一下，甚至墙上挂着的那些画也掉过身来。游戏就要开始了，所有的玩具，就连粗俗的学步车，也被邀请来了。

5. "每个人都有自己的优点，"学步车说："我们不能全都是贵族。正如俗话所说的，总要有人做事才成！"

6. 只有钱猪接到了一张手写的请帖，因为他的地位高，大家都相信他不会接受口头的邀请。的确，他并没有来。如果他要参加的话，他也只在自己家里欣赏。

7. 演戏的舞台布置得恰恰可以使他看清台上的表演。摇木马谈到训练和纯血统问题；学步车谈到铁路和蒸汽机的力量；座钟谈起政治："滴答——滴答"；竹手杖直挺挺地站着，骄傲得不可一世；沙发上躺着两个绣花垫子，好看，但是糊涂。

8. 大家坐着看戏。观众本应根据自己喜欢的程度喝彩、鼓掌和跺脚。马鞭子却说他不愿为老人鼓掌，他只愿意为还没有结婚的姑娘鼓掌。

9. "我对大家都鼓掌。"爆竹说。"一个人应该有一个人的立场！"痰盂不满地说。

10. 这出戏没什么价值，但是演得很好。所有的人物都把他们涂了颜色的一面掉向观众，都往舞台前面跑，以便人们把他们看得更清楚。

11. 那个补了一次的玩具是那么兴奋，弄得她的补丁都松开了。钱猪也看得兴奋起来，他决定在遗嘱中写上，到了适当的时候，要其中一位演员跟他一起葬在公墓里。

12. 啪！钱猪从橱柜上掉下来了——落到地上，跌成了碎片。那些银毫和银元居然跳着、舞着，跑到广大的世界上去了。钱猪的碎片则被扫进垃圾箱里去了。

13. 第二天，碗柜上又出现了一个泥烧的新钱猪。他肚皮里还没有装进钱，因此他也摇不出响声来；在这一点上，他跟别的东西完全没有什么区别。不过，这只是一个开始而已。

依卜和小克丽斯玎

李仁惠　　改编
李广宇　　绘画

1. 依卜是木鞋匠的儿子，克丽斯玎是一个船夫的女儿。他们俩是
一对好朋友，经常在一起玩耍，有时还大着胆子走进树林，去捡
那可爱的沙鸡蛋。

2. 不久，克丽斯玎的父亲要运柴火到西尔克堡的鳝鱼堰去，他决定带依卜和克丽斯玎一起去见见世面，两个孩子坐在船上的柴堆顶，吃着面包，望着河岸美丽的景色又唱又笑。

3. 木柴卸完以后，克丽斯玎的父亲就买了一大扎鳝鱼和一只杀好了的小猪，装在一个篮子里放在船尾，然后他们逆流而上向回走。

4. 船到助手所住的地方停下来，助手领着克丽斯叮的父亲走上岸去。两个孩子想看看篮子里装着的那只小猪，将它拖出来时不小心掉进了河里，这只小猪顺流向下，越漂越远。

5. 依卜跳到岸上跑着追赶，克丽斯叮在后边跟着他跑。不一会儿，他们跑进一片树林，枯树枝在他们脚下发出碎裂的声音，一只苍鹰的尖叫，使他们非常害怕。

6. 夜幕降临了，猫头鹰的叫声把他们吓得哭起来，他们哭累了，
便倒在树叶上睡着了。当他们醒来时，太阳已经升得很高，他们
爬上山坡，走进一片结满野榛子的丛林。

7. 他们把榛子摘下来打碎，挖出里面细嫩的，刚刚长成形的核仁。
就在这时，一件惊人可怕的事情发生了。丛林里走出一个高大的
老妇人，手里拿着三个果子。

8. 依卜见她非常和善，就鼓起勇气问："能把果子给我吗？"老妇人把一个果子给了他。"这果子里有一辆马拉的车子没有？""有！有一辆金马拉的金车！"老妇人说完，把剩下的两个果子给了克丽斯玎。

9. 后来，他们在守山人克林的帮助下，终于回到了家。晚间，依卜从衣袋里拿出那个果子，把它砸碎，可里边并没有"最好的东西"，倒像一个虫蛀了的果子。里面只有一撮黑土。

10. 不久，克丽斯玎要帮人干活去了，依卜和克丽斯玎互相道别。依卜把自己亲手雕的那双木鞋送给了她，克丽斯玎也把保存的那两个果子给他看。

11. 过了一年，克丽斯玎来看望依卜。她长得很漂亮，简直像一位小姐。她在他面前非常大方，在他嘴上吻了一下。依卜紧紧握着她的手，不说一句话。

12. 第二天，克丽斯玎要回西部去。依卜握着她的手给她送行：
"如果您能成为我的妻子那该多好哇！"克丽斯玎吻了吻他的嘴，
说："我等着你，依卜！"

13. 又过了一年，一天，船夫来看依卜，转达克丽斯玎的问候，并
告诉依卜说："克丽斯玎快要结婚了，新郎是一位有钱的少爷。"依
卜的脸色一下变得像白布一样惨白。

14. 但他还是给她写了一封信："愿世上一切快乐都属于你，克丽斯玎，上帝将会安慰我的心！"他记起了老妇人，克丽斯玎那两个果子里，藏有金车金马和漂亮的衣服，现在变成现实了。

15. 依卜想起自己那个果子里只有一撮黑土，老妇人说是"最好的东西"，现在也成为事实了！他明白了妇人的意思：最好的东西是在黑土里。

785

16. 果然，克丽斯玎的丈夫继承了父亲的遗产，他们成了富有的人。但他们不知道怎样使用这笔财富。它来得容易，也去得容易，这笔财产没有给他们带来长久的幸福。

17. 石南花开了，又谢了。雪花在荒原上飘过了好几次。有一天，依卜在犁地的时候，翻动了一座古墓，发现了财宝。老妇人的话兑现了，依卜在土里找到了"最好的东西"。

18. 不久，他乘船到哥本哈根去旅行。一次，他在街上迷了路，走到了城外郊区，遇见一个很小的女孩从一间破烂的屋子里走出来，"啊！"依卜征住了，这小女孩多么像克丽斯玎啊！

19. 他跟着小女孩走进破屋子，爬上狭窄破烂的楼梯。这儿没有灯光，空气沉浊闷人。依卜划了根火柴，发现小女孩的妈妈躺在一张破烂的床上。

20. "有什么事需要我帮忙吗?"依卜问。生病的女人抬起头来,这不是克丽斯打吗?怎么病成这个样子?依卜平静的心情一下被搅乱了。

21. 原来,她丈夫自从继承了他父母的那笔遗产后,放下工作,跑到国外旅行了半年,负了一身的债,但他仍然花天酒地。一天早晨,人们在皇家花园的河里发现了他的尸体。

22. 死神的手已经搁在克丽斯玎头上了。"我恐怕快要死了，留下这孤苦的孩子！"她叹了一口气，睁大眼睛凝望着他。依卜看了看小女孩，他想起了童年时的克丽斯玎。

23. 石南花已经谢了。狂暴的西风把树林的黄叶吹到河里。在山坡下，有一个小小的农庄，它粉刷和油漆一新。屋子里，泥炭在炉子里烧着。

24. 屋子里现在有了太阳光——从小孩的一双眼里所发出的太阳光。哭语声,像春天云雀的调子,从这孩子嘴中流出。她坐在依卜的膝上,他既是她的父亲,也是她的母亲。

25. 依卜现在是一个幸福的人,他不仅从黑土里获得了金子,他还得到了一个小小的克丽斯打;而小女孩的母亲,却永远地躺在哥本哈根的穷人公墓里了。

笨 汉 汉 斯

刘祖泉　改编

李泽霖　李振南　绘画

1. 乡下有一幢古老的房子，房子里住着一位年老的绅士。在绅士的儿子中间，老大和老二被人们公认为是最聪明的孩子，老绅士也为此而感到自豪。

2. 大儿子非常有学问，他可以背诵整本的拉丁文字典，还可以背诵这个城市出版的最近三年的报纸。从头到尾都背得滚瓜烂熟。

3. 二儿子也很有学问，他不仅精通各种法律和每个市府议员所应当知道的东西，还会在裤子的吊带上绣花。因此，他赢得了心灵手巧的美名。

4. 一天，报纸上公布了一条消息，公主要找一位聪明人做丈夫。老大和老二看了报纸，立即决定去向公主求婚。

5. 父亲给老大准备了一匹黑马，说："聪明的儿子，祝你成功!"父亲又牵来一匹白马交给老二，说："能干的儿子，祝你交上好运气!"

6. 老大老二临出发前，特意把嘴上涂了些鱼肝油，以便他们见到公主时，能把话说得又圆滑又流利。

7. 所有的仆人都站在院子里，欢送老大老二上路。这时，绰号叫"笨汉汉斯"的老三跑来了，问："两个哥哥穿得这么漂亮，到什么地方去呀？"

8. "到王宫去，向国王的女儿求婚去！你没听到全国的鼓声吗！"人们把事情原原本本地告诉了笨汉汉斯。

9. "我的天！我也应该去！我现在非常想结婚，我想我可以得到公主的！"笨汉汉斯高兴得一跳老高。老大讥笑他说："瞧你傻样儿！"老二奚落他说："别做梦了吧！"

10. "爸爸，我也要一匹马！"笨汉汉斯大声说："我要和公主结婚！如果她要我，她就可以得到我，她不要我，我还是要她的！"父亲说："瞧你，连话都说不清楚，我什么马也不给你！"

11. "不给马，那就给我一只公山羊吧，它驮得动我！"父亲被缠得没办法，只好答应了。笨汉汉斯骑上公山羊，两腿一夹，在大路上奔跑起来。

12. "嗨，嗬！骑得真够劲！我来了！"笨汉汉斯说，同时唱起歌来，歌声在旷野中飘荡，引起一阵阵回音，好听极了。

13. 两个哥哥正骑着马斯斯文文地前进，因为他们正考虑见了公主该讲些什么美丽的词句呢！"喂！"笨汉汉斯喊道，"我来了，瞧瞧我在路上拾到的东西吧！"

14. 笨汉汉斯把拾到的一只死乌鸦拿给两个哥哥看,他们说:"你这个笨蛋,拿这玩艺儿有什么用!""我要把它送给公主,她准会高兴的!"

15. "好吧,你就这样做吧!"两个哥哥说完,大笑一通,骑着马走了。笨汉汉斯在后面又喊:"喂,我来了,瞧我又找到了什么东西!"

16. 两个哥哥掉过头来，见笨汉汉斯手里正举着一只旧木鞋。他们说："见鬼，难道你把这旧木鞋也拿去送给公主不成？"

17. "当然要送给她，她一定会满意的！"笨汉汉斯说。于是又惹得两个哥哥大笑一通，继续骑着马往前走去。

18. "喂，我来了！"笨汉汉斯喊着，"嗨，事情越来越好了！好哇，真是好哇！"两个哥哥回头来问："你又拾到了什么宝贝？"

19. 笨汉汉斯举起一袋泥巴说："这是公主最希望得到的东西呀！"两个哥哥没心思听汉斯多说，飞奔着来到王宫前，抢先拿到了求婚者的登记号码。

20. 求婚的人多极了，大家排成几排，每排有六个人，足足站了几百米远。他们挤得那么紧，连手臂也无法动一下，这样也好，免得动起武来，就会把彼此的背撕得稀烂。

21. 城里所有的居民都到王宫来看热闹了，他们挤得人山人海，一直挤到窗子上，他们都希望亲眼看见公主是如何接待她的求婚者的。

22. 公主坐在大厅中央，她面前的火炉里烧着大火，把烟囱管子都烧红了。大厅里站着三个秘书，他们把求婚者的话记录下来，马上在报纸上发表，拿到街上每份卖两个铜板。这价钱可真够贵的！

23. 一个个求婚者兴冲冲地进去，灰溜溜地出来，围观的人都在看笑话。因为每个走进大厅的人立刻就失去了说话的能力，遭到公主的斥责："一点用也没有，给我滚开！"

24. 终于轮到老大了，他走进大厅，看见美丽的公主，早弄得神魂颠倒，把会背的字典也忘得一干二净。他只得搭讪着说："啊，这里真热得要命呀！"

25. "一点不错，因为我今天想烤几只鸡子呀！"公主说。糟糕！他没有想到会碰到这样的话，呆呆地站在那儿，一句话也说不出来。"一点用也没有！"公主说，"滚开！"

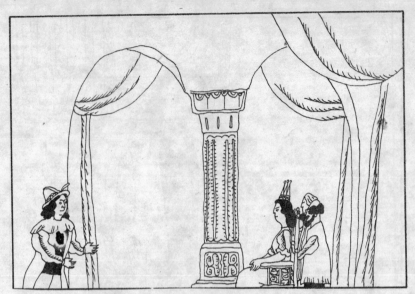

26. 老大只好垂头丧气地出来了。现在轮到老二了，他走进大厅说："这儿真是热得可怕！""是的，我们今天要烤几只鸡子！"公主说。

27. 老二不知道该怎么回答，连连说："什么……嗯……什么？""一点用也没有！"公主说，"滚开！"老二也狼狈不堪地出来了。

28. 这回该轮到笨汉汉斯了，他骑着山羊一直走进大厅，说："哈，这儿真热得可爱！"公主说："是的，我在烤鸡子呢！"笨汉汉斯说："太好了，我也要烤一只乌鸦呢！"

29. "欢迎你烤，"公主说，"不过你没有罐子，也没有锅，用什么烤呢？""我有！"笨汉汉斯取出木鞋说，"这儿有一只锅，上面还有一个铁把手呢！"

30. 公主笑着说:"不过,我们到哪儿去找酱油呢?""我这儿有的是!"笨汉汉斯举起装着泥巴的袋子,"我这里的足够用了!"

31. "你真会开心!"公主说,"你很会讲话,我愿意做你的妻子!不过,你的每句话都被记录下来了,明天要在报纸上发表的!"

32. 笨汉汉斯把一大把泥巴撒在秘书的脸上说："好吧，这就是我给你的奖赏！"秘书被弄得狼狈不堪，围观的人们齐声叫好："哈哈，真好！真有趣！"

33. 公主跳到笨汉汉斯面前，一把抱住他，在他脸上接了一个响亮的吻，说："亲爱的，你又聪明，又幽默，真可爱！"听说，老王爷死后，笨汉汉斯还继承了王位哩！

光荣的荆棘路

李仁惠　改编

邹越波　张似樱　绘画

1. 世界的历史像一架幻灯机，它在现代的屏幕上放映出明朗的画面，这些画面说明那些造福人类的天才和英雄走着一条荆棘的路。这些画面虽然有的仅仅出现几秒钟，但却使人无法忘记。

2. 雅典有个了不起的人物，名叫苏格拉底。他是保护人民反抗30个暴君的战士，他在混战中救援了阿尔西比亚得和生诺风，他的天才超过了古代的神仙。

3. 在挤满观众的圆形剧场里，讽刺和幽默的语言像潮水般地喷射出来。苏格拉底从观众席上站起，面对那些正在哄堂大笑的人，他显得是那么高大。

4. 荷马死后，七个国家都在争论说荷马是自己城里出生的。然而在他活着的时候却在这些城市里流浪，靠朗诵自己的诗篇过日子。

5. 这个伟大的先知者，是一个孤独的瞎子。锐利的荆棘把这位诗中圣哲的衣服撕得稀烂。但他的诗歌仍然活着；通过这些诗歌，古代的英雄和神仙也获得了生命。

6. 骆驼在棕榈树下走过，它们满载着靛青和贵重的财宝。这些东西是波斯国君主送给本国伟大诗人费尔杜西的。嫉妒和诽谤逼得他不得不从这个国家逃走。

7. 当人们发现他是国家的光荣时，当这个骆驼队出现在他避难的那个小镇时，人们抬着他的尸体刚刚出门。

8. 在葡萄牙的京城里,在王宫的大理石台阶上,坐着一个圆面孔、厚嘴唇、黑头发的非洲黑人。他是葡萄牙伟大诗人加莫恩的奴隶,他在向人求乞。

9. 如果没有他和他乞求到的许多铜板,他的主人——叙事诗路西亚达的作者,恐怕早就饿死了。

10. 疯人院里关着法国著名的科学家萨洛蒙·得·高斯。看守说："他的怪念头才多呢！他相信人们可以用蒸气推动东西！"这个伟大的发现使得他在疯人院里被关了 20 多年。

11. 哥伦布出现了，他发现了一个新世界，欢乐的钟声迎接他的胜利归来，但嫉妒的钟声敲得比这还要响亮。

12. 这个发现新大陆的人，这个把美洲黄金似的土地从海里捞起来的人，这个把一切贡献给他的国王的人，所得到的报酬是一条铁链。

13. 黑暗中坐着瘦弱老迈、又聋又瞎的伽利略。他要量出月亮里山岳的高度，探索星球与行星之间的太空，并能感觉到地球在他的脚下转动。

14. 这个懂得大自然规律的巨人，在尖锐的苦痛中和人间的轻视中挣扎。当人们不相信真理的时候，他跺着脚，振臂高呼："但是地球在转动呀！"

15. 冉·达克是法国的女英雄，她心中充满热情和信念。带领六千人打退了英国侵略者，为祖国带来了胜利和解放。

16. 空中响起一片狂乐的声音，柴堆正在熊熊燃烧，英雄成了
"巫婆"，纯洁的百合花遭到唾弃。只有智慧的鬼才伏尔泰却写歌
颂冉·达克的史诗《拉·比塞尔》。

17. 丹麦国王克利斯仙第二世，联合农民和市民反对贵族的专权，
是一个受民众爱戴的国王。但他终于被贵族推翻，而被囚禁27年。

18. 在微堡的宫殿里，丹麦的贵族烧毁了国王的法律。火焰把这个立法者和他的时代都照亮了，同时也向那个黑暗的囚楼送进一点彩霞，映出了他那斑白的头发和弯曲的身影。

19. 丹麦著名的天文学家杜却·布拉赫，发现了"杜却星球"，把丹麦的名字上升到宇宙，但他得到的报酬却是讥笑和污辱。

20. 一艘船从丹麦开出，杜却·布拉赫倚着栏杆，向汶岛上他亲手建立的天文台作了最后一瞥。他终于在国外得到了尊荣和自由。

21. 美国发明家罗伯特·富尔登，设计和制造了美国第一艘用蒸气机推动的轮船。试航前却遭到人们的讥笑，"船怎能逆风逆流行驶？简直是自高自大、糊涂透顶的疯子！"

22. 但在美洲的一条大河里，这条蒸气船居然在逆风逆流中行驶。蒸气机的杠杆把世界各国间的距离"缩短"了。

23. 光荣的荆棘路看起来像环绕着地球的一条灿烂的光带。只有幸运的人才被送到这条带上行走。他们将超越时代，走向永恒！

犹太女子

李仁惠 改编

陈 元 绘画

1. 在一个基督教的慈善学校里，有一个美丽善良的犹太女孩子。由于她不是基督教徒，所以，她是不能听宗教课的。

2. 她可以利用上这一课的时间去温习地理、算术，但这些功课一下子就做完了，她只好坐着静听老师讲宗教课。

3. 老师发现她比任何其他的孩子都听得专心。"读你自己的书吧，"老师温和地说。然而，当老师向她提问的时候，她的回答比所有的孩子都好。

4. 老师去拜访她的父亲，请求让他的孩子做一个基督徒。老师说："她的那对明亮的眼睛对宗教的忠诚和渴望，实在叫我不忍看下去。"

5. 父亲不禁哭起来，说："她妈妈是一个犹太人的女儿，而且信教很深。她断气前，我答应过她，决不能让我们的孩子受基督教的洗礼。我必须保持我的诺言。"

6. 许多年过去了。在尤兰的一个小市镇里有一个寒微的人家，里面住着一个信仰犹太教的穷苦佣人，她就是犹太女子萨拉。

7. 每个礼拜天，教堂的风琴奏出音乐，做礼拜的人唱出歌声。这个犹太女人就在这屋子里勤劳地、忠诚地劳动着。

8. 她也有她安静的祈祷的时刻。当风琴声和圣诗班的歌声飘到厨房后边时，她就开始读她族人的唯一宝物和财产——《旧约圣经》。

9. 有一天晚上，她坐在起坐间，听她的主人高声读书。这是一本旧故事书，萨拉在一旁听得津津有味。

10. 书中描写一个匈牙利的骑士，被一个土耳其的军官俘获去了。这个军官把他同牛一起套在轭下犁田，而且用鞭子抽赶，使他受尽了污辱和痛苦。

11. 骑士的妻子把她所有的金银首饰、房屋、田产都典当了，他的朋友也捐募了大批金钱，才把骑士从军官那儿赎回来。

12. 不久，骑士又被征招去跟基督教徒的敌人作战。那位曾经侮辱他，使他痛苦的军官，现在却成了他的俘虏。

13. 骑士问俘虏："你想你会得到什么待遇呢？""我知道！"俘虏回答，"报复！""一点不错，"骑士说，"你会得到一个基督徒的报复：你可以平安回家，因为基督的教义告诉我要宽恕敌人！"

14. 俘虏突然哭起来，"我怎么也没想到会得到这样的待遇，我以为我一定会受到酷刑和痛苦，所以我已经服了毒，不久就要死去！"骑士感到十分震惊！

15. 俘虏又恳切地说："不过我想在我死以前，请把这种充满爱和慈悲的教义讲给我听一次，让我作为一个基督徒死去吧！"他的这个要求得到了满足。

16. 犹太女子萨拉被这个故事感动了，大颗的泪珠在她乌黑的眼睛里发出亮光。正如她从前坐在教室里一样，她感到了福音的伟大。

17. "但是妈妈，我决不使你在地下感到痛苦！我决不违背爸爸对你所许下的诺言！"萨拉心中充满了矛盾。

18. 不久，这家主人死去了，女主人的境遇非常不好，家庭经济越来越困难，她不得不解雇女佣人。

19. 但萨拉却没有离去，她成了女主人最困难时期的一个得力帮手。她每天都工作到深夜，努力维持这个家庭。

20. 女主人已经病倒在床上好几个月了，萨拉日夜照料家务，看护病人，她实在太累了，身体一天天地消瘦。

21. 一天夜里，女主人对萨拉说："《圣经》就在那里，夜很长，你念几段给我听听吧，我非常想听听上帝的话。"

22. 萨拉打开《圣经》，慢慢地念着，念着。她的眼泪涌出来了，她的心在颤抖，她的身体支撑不住了，她终于倒下了，比她所看护的病人还要衰弱。

23. 人们把她抬到慈善医院。"可怜的萨拉！"大家说，"她日夜看护病人和忘我的劳动，已经把身体累坏了。"

24. 不久，她就死在医院里。由于她是犹太女子，所以不能埋葬
在基督徒的墓地里，只能埋在墓地的墙外。

25. 上帝的太阳照在基督徒的墓地上，也照在墙外犹太女子的坟
上；基督教徒墓地里的赞美歌声，也在她的坟墓上空盘旋。